P9-CMF-817

65

Ernest

C. C. 1918

284 - Advance

BK still write out   3 + 8
    12 " " 3

ā longest a

Heath's Modern Language Series

INTRODUCTION

TO

MODERN FRENCH LYRICS

EDITED, WITH NOTES, BY

B. L. BOWEN, Ph.D.,

PROFESSOR OF THE ROMANCE LANGUAGES IN OHIO
STATE UNIVERSITY

D. C. HEATH & CO., PUBLISHERS
BOSTON   NEW YORK   CHICAGO

PREFACE.

———◆———

THE main object of this volume is to furnish students in French with material for an introductory study of lyric poetry. Accordingly no attempt has been made to exhaust the subject, but the purpose has been to group together a limited number of well-known and characteristic poems. The patriotic songs of the Revolution have been made the starting-point. It is thought that heretofore these poems have received less attention from college classes than they deserve. For this reason they are specially emphasized in the present collection. Of the twelve pieces given under this head, the fifth (*Déclaration des droits*, etc.) and the last five are taken from a *recueil* entitled : *Le Chansonnier patriote*, published at Paris during the first year of the Republic. In the selections from individual poets, prominence has been given to Béranger and Hugo. Lamartine has been less emphasized, not because less deserving, but because it was thought that his poems were perhaps less adaptable to the ordinary class-room than some others. It has also seemed better, in accordance with the limited compass of the book, to exclude selections from living authors. The remarks on versification are intended as an aid to the study of that subject in connection with the reading of the poems. Most of the examples given are taken from the text and numerous references are made to it. The notes, while covering literary and grammatical points, aim at the same time to lead the student to a gradual recognition of the principles underlying the development of the language.

It is intended that the book, thus planned, should be the first thing taken up by the student in the study of French poetry. An acquaintance with the versification in general may thus be made, before approaching the classic Alexandrine couplet. It is thought that a knowledge of shorter verses and of Alexandrines in quatrains or sextains may well precede the study of the line of *Horace.*

Thanks are due to Professor John E. Matzke, of Stanford University, for valuable hints in regard to the notes, and for assistance in reading the proofs of the same ; also to Professor F. M. Warren, of Adelbert College, for suggestions on several matters of literary import.

B. L. BOWEN.

Ohio State University,
Columbus, June, 1891.

TABLE OF CONTENTS.

III. LAMARTINE.

IV. VICTOR HUGO.

V. ALFRED DE MUSSET.

VI. THÉOPHILE GAUTIER.

VII. MISCELLANEOUS POEMS.

INTRODUCTION

TO

MODERN FRENCH LYRICS.

——◆——

I. 1760 -1836

NATIONAL AND REVOLUTIONARY SONGS.

————

1.

Claude Joseph Rouget de Lisle

LA MARSEILLAISE.

1er COUPLET.

ALLONS, enfants de la patrie,
Le jour de gloire est arrivé !
Contre nous de la tyrannie
4   L'étendard sanglant est levé ! (*bis*)
Entendez-vous, dans les campagnes,
Mugir ces féroces soldats ?
Ils viennent jusque dans nos bras
8   Égorger nos fils, nos compagnes !
Aux armes, citoyens ! formez vos bataillons !
Marchons ! (*bis*) qu'un sang impur abreuve nos sillons !

2e COUPLET.

Que veut cette horde d'esclaves,
12   De traîtres, de rois conjurés ?

Pour qui ces ignobles entraves,
Ces fers dès longtemps préparés ? (*bis*)
Français ! pour nous, ah ! quel outrage !

4 Quels transports il doit exciter !
C'est nous qu'on ose méditer
De rendre à l'antique esclavage !
      Aux armes, etc.

3ᵉ COUPLET.

8 Quoi ! ces cohortes étrangères
Feraient la loi dans nos foyers !
Quoi ! ces phalanges mercenaires
Terrasseraient nos fiers guerriers ! (*bis*)

12 Grand Dieu ! par des mains enchaînées
Nos fronts sous le joug se ploîraient !
De vils despotes deviendraient
Les maîtres de nos destinées !

16   Aux armes, etc.

4ᵉ COUPLET.

Tremblez, tyrans ! et vous, perfides,
L'opprobre de tous les partis,
Tremblez ! vos projets parricides

20 Vont enfin recevoir leur prix ! (*bis*)
Tout est soldat pour vous combattre.
S'ils tombent, nos jeunes héros,
La France en produit de nouveaux,

24 Contre vous tout prêts à se battre !
      Aux armes, etc.

5e COUPLET.

Français, en guerriers magnanimes,
Portez ou retenez vos coups !
Épargnez ces tristes victimes,
À regret s'armant contre nous. (*bis*)
Mais ces despotes sanguinaires,
Mais ces complices de Bouillé,
Tous ces tigres qui, sans pitié,
Déchirent le sein de leur mère ! . . .
    Aux armes, etc.

6e COUPLET.

Amour sacré de la patrie,
Conduis, soutiens nos bras vengeurs !
Liberté, Liberté chérie,
Combats avec tes défenseurs ! (*bis*)
Sous nos drapeaux, que la victoire
Accoure à tes mâles accents !
Que tes ennemis expirants
Voient ton triomphe et notre gloire !
    Aux armes, etc.

7e COUPLET,

appelé la strophe des enfants.

Nous entrerons dans la carrière
Quand nos aînés n'y seront plus ;
Nous y trouverons leur poussière
Et la trace de leurs vertus. (*bis*)

> Bien moins jaloux de leur survivre
> Que de partager leur cercueil,
> Nous aurons le sublime orgueil
4 De les venger ou de les suivre !
> Aux armes, citoyens ! formez vos bataillons !
> Marchons ! (*bis*) qu'un sang impur abreuve nos sillons !

ROUGET DE LISLE, 1792.

2.

LE CHANT DU DÉPART. *De Chenier*

I.

Un député du peuple.

> LA victoire, en chantant, nous ouvre la barrière,
8 La liberté guide nos pas,
> Et du nord au midi la trompette guerrière
> A sonné l'heure des combats ;
> Tremblez, ennemis de la France,
12 Rois ivres de sang et d'orgueil,
> Le peuple souverain s'avance ;
> Tyrans, descendez au cercueil !

Chœur des guerriers.

> La République nous appelle,
16 Sachons vaincre ou sachons périr,
> Un Français doit vivre pour elle, ⎫
> Pour elle, un Français doit mourir ! ⎭ (*bis*)

2.

Une mère de famille.

De nos yeux maternels ne craignez point les larmes :
 Loin de nous de lâches douleurs !
Nous devons triompher quand vous prenez les armes :
4 C'est aux rois à verser des pleurs !
  Nous vous avons donné la vie,
  Guerriers, elle n'est plus à vous ;
  Tous vos jours sont à la patrie ;
8 Elle est votre mère avant nous !

  Chœur des mères de famille.
  La République nous appelle, etc.

3.

Deux vieillards.

Que le fer paternel arme la main des braves !
  Songez à nous, aux champs de Mars ;
12 Consacrez dans le sang des rois et des esclaves
  Le fer béni par vos vieillards ;
  Et, rapportant sous la chaumière
  Des blessures et des vertus,
16 Venez fermer notre paupière
  Quand les tyrans ne seront plus !

  Chœur des vieillards.
  La République nous appelle, etc.

4.

Un enfant.

De Barra, de Viala le sort nous fait envie ;
20 Ils sont morts, mais ils ont vaincu !

Le lâche accablé d'ans n'a pas connu la vie !
    Qui meurt pour le peuple a vécu !
    Vous êtes vaillants, nous le sommes;
4   Guidez-nous contre les tyrans ;
    Les républicains sont des hommes,
    Les esclaves sont des enfants !

Chœur des enfants.

La République nous appelle, etc.

5.

Une épouse.

8 Partez, vaillants époux, les combats sont vos fêtes ;
    Partez, modèles des guerriers ;
Nous cueillerons des fleurs pour en ceindre vos têtes,
    Nos mains tresseront vos lauriers !
12   Et si le temple de Mémoire
    S'ouvrait à vos mânes vainqueurs,
    Nos voix chanteront votre gloire,
    Nos flancs porteront vos vengeurs.

Chœur des épouses.

16   La République nous appelle, etc.

6.

Une jeune fille.

Et nous, sœurs des héros, nous qui de l'hyménée
    Ignorons les aimables nœuds,
Si, pour s'unir un jour à notre destinée,
20   Les citoyens forment des vœux,
    Qu'ils reviennent dans nos murailles,

Beaux de gloire et de liberté,
Et que leur sang dans les batailles
Ait coulé pour l'égalité.

Chœur des jeunes filles.

4 La République nous appelle, etc.

7.

Trois guerriers.

Sur le fer, devant Dieu, nous jurons à nos pères,
A nos épouses, à nos sœurs,
A nos représentants, à nos fils, à nos mères,
8   D'anéantir les oppresseurs :
En tous lieux, dans la nuit profonde,
Plongeant l'infâme royauté,
Les Français donneront au monde
12   Et la paix et la liberté !

Chœur général.

La République nous appelle, etc.

M. J. CHÉNIER, 1794.

3.

ÇA IRA.

1.

Ah ! ça ira, ça ira, ça ira !
Le peuple en ce jour sans cesse répète :
16 Ah ! ça ira, ça ira, ça ira !
Malgré les mutins, tout réussira !

Nos ennemis confus en restent là ;
Et nous allons chanter alleluia !
    Ah ! ça ira, ça ira, ça ira !
4   Quand Boileau jadis du clergé parla,
Comme un prophète il a prédit cela :
En chantant ma chansonnette,
Avec plaisir on dira :
8   Ah ! ça ira, ça ira, ça ira !
         Malgré les mutins, tout réussira !

2.

    Ah ! (ça ira, *ter*)
Suivant les maximes de l'Évangile
12   Ah ! (ça ira, *ter*)
Du législateur tout s'accomplira.
Celui qui s'élève, on l'abaissera ;
Et qui s'abaisse, l'on élèvera.
16   Ah ! (ça ira, *ter*)
Le vrai catéchisme nous instruira,
Et l'affreux fanatisme s'éteindra.
    Pour être à la loi docile,
20   Tout Français s'exercera.
    Ah ! (ça ira, *ter*), etc.

3.

    Ah ! (ça ira, *ter*)
Pierrette et Margot chantent à la guinguette ;
24   Ah ! (ça ira, *ter*)
Réjouissons-nous, le bon temps viendra !

Le peuple français jadis à quia ;
L'aristocrate dit : *mea culpa !*
    Ah ! (ça ira, *ter*)
4 Le clergé regrette le bien qu'il a ;
Par justice la nation l'aura.
Par le prudent Lafayette,
Tout trouble s'apaisera.
8   Ah ! (ça ira, *ter*), etc.

4.

    Ah ! (ça ira, *ter*)
Par les flambeaux de l'auguste assemblée,
    Ah ! (ça ira, *ter*)
12 Le peuple armé toujours se gardera.
Le vrai d'avec le faux l'on connaîtra ;
Le citoyen pour le bien soutiendra.
    Ah ! (ça ira, *ter*)
16 Quand l'aristocrate protestera,
Le bon citoyen au nez lui rira ;
  Sans avoir l'âme troublée,
  Toujours le plus fort sera.
20   Ah ! (ça ira, *ter*) etc.

5.

    Ah ! (ça ira, *ter*)
Petits comme grands sont soldats dans l'âme ;
    Ah ! (ça ira, *ter*)
24 Pendant la guerre aucun ne trahira.
Avec cœur tout bon Français combattra ;

S'il voit du louche, hardiment parlera.
    Ah ! (ça ira, *ter*)
Lafayette dit : " Vienne qui voudra !
Le patriotisme lui répondra ! "
    Sans craindre ni feu ni flamme,
    Le Français toujours vaincra !
Ah ! ça ira, ça ira, ça ira ! etc.

1790.

———

4.

LA CARMAGNOLE.

MADAM' Veto avait promis
De faire égorger tout Paris.
Mais le coup a manqué,
Grâce à nos canonnié.
Dansons la carmagnole,
Vive le son ! vive le son !
Dansons la carmagnole,
Vive le son du canon !

Monsieur Veto avait promis
D'être fidèle à sa patrie ;
Mais il y a manqué.
Ne faisons plus quartié.
Dansons la carmagnole, etc.

.   .   .   .   .   .

Les Suisses avaient tous promis
Qu'ils feraient feu sur nos amis ;

Mais, comme ils ont sauté,
Comme ils ont tous dansé !
Dansons la carmagnole, etc.

4 Quand Antoinette vit la tour,
 · Elle voulut fair' demi-tour ;
 Elle avait mal au cœur
 De se voir sans honneur.
8 Dansons la carmagnole, etc.

Lorsque Louis vit fossoyer
A ceux qu'il voyait travailler
Il disait que pour peu
12 Il était dans ce lieu.
Dansons la carmagnole, etc.

Le patriote a pour amis
Tous les bonnes gens du pays ;
16 Mais ils se soutiendront
Tous au son du canon.
Dansons la carmagnole, etc.

L'aristocrate a pour amis
20 Tous les royalist's à Paris ;
Ils vous les soutiendront
Tout comm' de vrais poltrons.
Dansons la carmagnole, etc.

24 La gendarm'rie avait promis
Qu'elle soutiendrait la patrie ;

Mais ils n'ont pas manqué
Au son du canonnié.
Dansons la carmagnole, etc.

4   Amis, restons toujours unis,
Ne craignons pas nos ennemis;
S'ils vienn'nt nous attaquer,
Nous les ferons sauter.
8   Dansons la carmagnole, etc.

Oui, je suis sans-culotte, moi,
En dépit des amis du roi ;
Vivent les Marseillois,
12   Les Bretons et nos lois !
Dansons la carmagnole, etc.

Oui, nous nous souviendrons toujours
Des sans-culottes des faubourgs.
16   A leur santé buvons ;
Vivent ces bons lurons !
Dansons la carmagnole,
Vive le son ! vive le son !
20   Dansons la carmagnole,
Vive le son du canon !

1792.

5.

DÉCLARATION

DES DROITS DE L'HOMME ET DU CITOYEN LES 20, 21, 22, 23
ET 26 AOÛT, 1789.

GÉNÉREUX et braves Français,
En vantant son courage,
Chantez les immortels bienfaits
4   De votre aréopage !
Il s'élance à pas de géant
Dans sa vaste carrière,
Et rend à l'homme, en débutant,
8   Sa dignité première.

Prenant de tes augustes lois,
Pour base la plus sûre,
Tous les imprescriptibles droits
12   Qu'il tient de la nature,
Tu vas, sage législateur,
Que j'aime et que j'admire,
De ces lois saintes dans son cœur
16   Éterniser l'empire !

Ces droits qu'ici tu reconnais
Sont inaliénables ;
En France comme au Paraguais,
20   Ils sont impérissables :
Apprends au despote cruel
Qu'en traits ardents de flammes,

Le doigt sacré de l'Éternel
Les grava dans nos âmes !

Oui, tous les hommes sont égaux
4   Et leurs droits sont les mêmes ;
On ne distingue les héros
Qu'à leurs vertus suprêmes :
Mais la loi qui vous pèse tous
8   Dans sa juste balance,
Mortels, ne doit mettre entre vous
Aucune différence.

Vivre libre est le premier bien
12   Aux champs comme à la ville ;
Partout on doit du citoyen
Respecter l'humble asile :
Qu'un vil tyran ose tenter
16   D'en faire sa victime,
Il peut s'armer et résister
A quiconque l'opprime.

Dès qu'à mon prochain respecté,
20   On ne me voit pas nuire,
Rien, ô ma chère liberté !
Ne peut te circonscrire :
Quand la loi parle, à son décret
24   Je cède à l'instant même ;
Mon plaisir, dès qu'elle se tait,
Est ma règle suprême.

Je puis désormais en tout lieu,
Fidèle à ma croyance,
Adorer et servir mon Dieu
4   Suivant ma conscience :
Et ferme en mon opinion,
Sans crainte des pièges,
Braver de l'inquisition
8   Les fureurs sacrilèges.

Aujourd'hui, libre de tes fers,
Quel pays, riche France,
Pourrait sur toi, dans l'univers,
12   Avoir la préférence !
Ailleurs on chercherait en vain
Le sort le plus prospère ;
Le bonheur n'est que dans ton sein
16   Ou n'est pas sur la terre.

T. ROUSSEAU.

6.

HYMNE A LA LIBERTÉ.

LOIN de nous le vain délire
D'une profane gaîté !
Loin de nous les chants qu'inspire
20   Une molle volupté !
     Liberté sainte,
Viens, sois l'âme de ces vers,
Et que, jusqu'à nos concerts,
24   Tout porte en nous ta noble empreinte.

Sous tes fortunés auspices,
Vois tes enfants réunis,
Goûter les douces prémices
Des biens que tu leur promis.
    D'un pur hommage
Ils honorent tes autels :
Toi, du sein des immortels,
Daigne sourire à ton ouvrage.

Brûlant d'un zèle intrépide,
Fier de te connaître enfin,
Le Français, sous ton égide,
S'élance au plus beau destin.
    Par mille obstacles
En vain croit-on l'arrêter :
Quel effort peut résister
A ceux que guident tes oracles?

Sur ses oppresseurs antiques,
Le peuple a conquis ses droits :
Nos vils préjugés gothiques
Sont remplacés par des lois.
    L'or et les titres
Ne dispensent plus les rangs ;
Les vertus et les talents
En sont les suprêmes arbitres.

Du Rhin jusqu'aux Pyrénées,
Des bords que ceint l'Océan

Jusqu'aux plaines couronnées
Par les cimes du Mont-Blanc,
    Plus de barrières.
O liberté ! désormais,
Sous ce beau nom de Français,
Tu ne vois qu'un peuple de frères.

Pour renverser ton empire,
Le despotisme aux abois
Rugit, s'agite, conspire,
Arme la horde des rois.
    Que les rois tremblent !
Ce crime, c'est le dernier :
Leur chute est près d'expier
Les nœuds sanglants qui les rassemblent.

Ils franchirent nos limites,
Ces superbes potentats ;
Leur cent mille satellites
Infestèrent nos états.
    Tyrans, esclaves,
Comme l'ombre fuit le jour,
Tout a fui, tous sans retour
Ont disparu devant les braves.

Salut, roches helvétiques,
Berceau de la liberté !
Salut, provinces belgiques,
Où son culte est reporté !
    Plages lointaines

2

Qu'affranchissent nos efforts,
Répondez à nos transports :
Vos vengeurs ont brisé leurs chaînes.

Rouget de Lisle, 1793.

7.

LE BONNET DE LA LIBERTÉ.

4   Que ce bonnet
Aux bons Français donne de grâces !
   Que ce bonnet
Sur nos fronts fait un bel effet !
8   Aux aristocratiques faces
Rien ne cause tant de grimaces
   Que ce bonnet.

   Que ce bonnet,
12 Femmes, vous serve de parure ;
   Que ce bonnet
Des enfants soit le bourrelet ;
A vos maris je vous conjure
16 De ne donner d'autre coiffure
   Que ce bonnet.

   De ce bonnet
Tous les habitants de la terre,
20   De ce bonnet
Se couvriront le cervelet ;
Et même un jour quelque commère

Affublera le très Saint-Père
De ce bonnet.

Par un bonnet,
4   France, assure-toi la victoire ;
Par un bonnet
Ton triomphe sera complet ;
Que les ennemis de ta gloire
8   Soient chassés de ton territoire
Par un bonnet.

8.

LES TRAVAUX DU CAMP : CHANT PATRIOTIQUE.

Amis, le cri de la patrie
Appelle aujourd'hui nos secours ;
12   Les Français, à sa voix chérie,
Jamais ne se montreront sourds.
Allons, travaillons,
Travaillons, braves patriotes ;
16   Allons, pressons,
Poussons vivement nos travaux :
Les esclaves et les despotes (*bis*)
Ici trouveront leurs tombeaux.

20   Ici la fatigue est légère,
Pour qui chérit la liberté ;

Chacun à côté de son frère,
Veut bêcher pour l'égalité.
    Allons, etc.

4   Tremblez, lâches aristocrates,
En voyant près de leurs époux,
Les femmes les plus délicates
Manier le fer comme nous.
8   Allons, etc.

Pour se soustraire à l'esclavage
Nos enfants n'ont pas moins de cœur,
Et la faiblesse de leur âge
12   Disparaît devant leur ardeur.
    Allons, etc.

Oui, la liberté de la terre
Dépend aujourd'hui de nos bras :
16   Jurons de ne finir la guerre
Que quand les rois seront à bas.
    Allons, etc.

Alors une immortelle gloire
20   Ceignant notre front de laurier,
Nous chanterons notre victoire
Et le bonheur du monde entier.
    Allons, etc.

9.

COUPLETS

CHANTÉS DANS UN DÎNER JACOBIN.

LES Feuillants et les endormeurs
Épuisent sur nous leurs fureurs :
   C'est ce qui nous désole.
Mais par le peuple être bénis,
De nos travaux c'est le doux prix :
   C'est ce qui nous console.

Forts de notre sécurité,
Nos ennemis ont tout tenté :
   C'est ce qui nous désole.
Mais le premier bruit des tambours
Réveillera les deux faubourgs :
   C'est ce qui nous console.

Tous les despotes contre nous
Nourrissent le même courroux :
   C'est ce qui nous désole.
Mais ceux qu'ils nomment leurs sujets
Sont de moitié dans nos projets :
   C'est ce qui nous console.

Nous nous usons dans le repos ;
Chaque jour ajoute à nos maux :
   C'est ce qui nous désole.
Mais bientôt, citoyens soldats,

Nous volerons tous aux combats :
   C'est ce qui nous console.

Loin de nous l'argent s'est enfui ;
4   L'on n'en voit plus qu'au biribi :
   C'est ce qui nous désole.
Il nous reste des assignats,
Des fers, du courage et des bras :
8   C'est ce qui nous console.

P. Chepy.

10.

COUPLETS MILITAIRES.

La fière Autriche nous brave,
Amis, volons aux combats ;
Pour n'être jamais esclave,
12   Tout Français devient soldat.
Le serment des patriotes
Est d'affranchir l'univers ;
Sur la tête des despotes,
16   Peuples, nous romprons nos fers.

C'est ici la juste guerre
Des peuples contre les rois ;
Aux oppresseurs de la terre
20   Nous arracherons nos droits.
Tous leurs trônes sanguinaires
Seront brisés pour jamais ;

Nous bâtirons des chaumières
Des débris de leurs palais.

La liberté, la patrie,
4   Voilà les dieux de nos cœurs;
Pour cette cause chérie
Nous jurons d'être vainqueurs.
C'en est fait, le canon gronde,
8   Nous ne voulons plus de paix,
Que tous les tyrans du monde
Ne soient aux pieds des Français.

Une invisible puissance
12   D'avance a compté nos jours;
Nul effort de la prudence
N'en peut prolonger le cours.
L'heure fatale est écrite,
16   Le lâche fuirait en vain;
La mort l'atteint dans sa fuite,   )
Et le frappe avec dédain.

Qu'a-t-il donc si terrible
20   Le trépas pour un guerrier?
C'est un asile paisible
Sous l'ombrage d'un laurier.
Sa mémoire s'associe
24   Au triomphe des vainqueurs;
On n'a point perdu la vie
Quand on vit dans tous les cœurs.

DESMAREST.

11.

RONDE PATRIOTIQUE.

CHANTER est un bon présage ;
Chantons donc tous ce refrain :
Vertus, amitié, courage,
4 Signalent le citoyen ;
Ce sont les titres du sage,
Et ceux de l'homme de bien.

Jadis, sur de vieilles vitres
8 Un noble avait fondé ses droits ;
Un caillou casse les titres :
Voilà le noble aux abois.
Aussi sur de vieilles vitres,
12 Pourquoi donc fonder ses droits ?

Un comte avait sa noblesse
Bien roulé en parchemin ;
Un maudit rat, pièce à pièce,
16 A rongé tout le vélin.
Pourquoi diable sa noblesse
Est-elle de parchemin ?

Nos droits sont dans la nature,
20 La raison les recouvra ;
Ils ne craignent pas l'injure
D'un coup de vent, ni d'un rat ;
Mais aussi c'est la nature
24 Qui dans nos cœurs les grava.

Je connais une patronne,
Qui se nomme *Liberté*,
A ses élus elle donne
Force, gloire, sûreté :
Voilà, voilà la patronne
Dont mon cœur est enchanté.

J'ai juré de mourir libre,
Et je tiendrai mon serment ;
Que le Pape, au bord du Tibre,
Lance son foudre impuissant ;
J'ai juré de mourir libre,
Et je tiendrai mon serment.

12.

COURTE ANALYSE

D'UN LONG BREF DU PAPE.

AIR : *De l'enfant prodigue.*

CHRÉTIENS, écoutez le bref
Du saint-père votre chef.
Il ne veut que vous instruire ;
Mais vous êtes des Français ;
Pour vous forcer à le lire,
J'y vais mêler des couplets.

AIR : *Cœurs sensibles, cœurs fidèles.*

Si d'un zèle évangélique,
Le papè à ses saints travaux,

> Sur son siège apostolique,
> A consacré son repos,
> Par ce chef-d'œuvre mystique
> 4   Il donne à la chrétienté
> Le sommeil qu'il s'est ôté. (*bis*)

Le remède est bien simple, c'est de ne pas le lire.   Mais
on est curieux, et puis un bref du pape ! . . . cela tente.
C'est donc pour la commodité du public que j'en ai fait
cette courte et fidèle analyse.

D'abord le saint-père prouve longuement et par de longues autorités que le temporel est le spirituel, que le servi-
teur des serviteurs de Dieu doit commander à la terre ; et
pose ce grand principe, *tu es petra, et super hanc petram,*
etc. : tu es *pierre*, et sur cette *pierre* je bâtirai mon église.

> AIR : *Cœurs sensibles, cœurs fidèles.*
>
> C'est donc là votre devise ?
> J'aime cette bonne foi ;
> 8   Mais, il faut que je le dise,
> Elle est imprudente. . . . Hé quoi !
> Notre inébranlable église
> Va paraître aux indévots
> 12   Porter sur un jeu de mots. (*bis*)

Après ce préambule, le saint-père nous déclare schisma-
tiques.   Ah ! saint-père, peine inutile ! Bientôt. · , .

> AIR : *Cœurs sensibles, cœurs fidèles.*
>
> Malgré ce prétendu schisme,
> Malgré votre sainteté,

> L'univers, sans fanatisme,
> Uni par l'humanité,
> N'aura plus qu'un catéchisme,
> 4   Celui de la liberté. (*ter*)

Il défend expressément à Dieu de descendre dans le très-saint sacrement de l'Eucharistie à l'ordre des prêtres qui ont fait le serment civique. Un chanoine patriote, en lisant cet article, se mit à chanter :

AIR : Des dettes.

> C'en est donc fait ; par cet écrit
> Le calice m'est interdit :
>   C'est ce qui me désole.
> 8   Mais par bonheur, de mon caveau
> On n'enlève pas mon tonneau :
>   C'est ce qui me console.

Et puis enfin, battant la campagne à son aise, et faisant sonner sa clef du paradis, *quod ligabis in terrâ ligabitur et in coelo, et vice versâ*, lui, grand lieur et grand délieur, défend à tous les lieurs et délieurs subalternes de rien délier davantage, excepté la bourse de ceux qui voudront bien se laisser faire. C'en est assez pour faire connaître dans quel *sens* est ce bref admirable.

AIR : Cœurs sensibles, cœurs fidèles.

> Contre une pareille bulle,
> 12   Dont on craint peu les effets,

C'est l'arme du ridicule
Qui convient à des Français.
Le Français peut, sans scrupule,
Au saint-père, à ses canons,
Répondre par des chansons. (*bis*)

BIGNON.

II.

1780-1857

BÉRANGER.

———•◦•———

1.

LE ROI D'YVETOT.

Il était un roi d'Yvetot
Peu connu dans l'histoire,
Se levant tard, se couchant tôt,
4   Dormant fort bien sans gloire,
Et couronné par Jeanneton
D'un simple bonnet de coton,
        Dit-on.
8   Oh ! oh ! oh ! oh ! ah ! ah ! ah ! ah !
Quel bon petit roi c'était là !
        La, la.

Il faisait ses quatre repas
12   Dans son palais de chaume,
Et sur un âne, pas à pas,
Parcourait son royaume.
Joyeux, simple et croyant le bien,
16   Pour toute garde il n'avait rien
        Qu'un chien.
Oh ! oh ! oh ! oh ! ah ! ah ! ah ! ah !
Quel bon petit roi c'était là !
20   La, la.

Il n'avait de goût onéreux
Qu'une soif un peu vive ;
Mais, en rendant son peuple heureux,
4   Il faut bien qu'un roi vive.
Lui-même, à table et sans suppôt,
Sur chaque muid levait un pot
                D'impôt.
8   Oh ! oh ! oh ! oh ! ah ! ah ! ah ! ah !
Quel bon petit roi c'était là !
                La, la.

Aux filles de bonnes maisons
12   Comme il avait su plaire,
Ses sujets avaient cent raisons
De le nommer leur père.
D'ailleurs il ne levait de ban
16   Que pour tirer quatre fois l'an
                Au blanc.
Oh ! oh ! oh ! oh ! ah ! ah ! ah ! ah !
Quel bon petit roi c'était là !
20   La, la.

Il n'agrandit point ses États,
Fut un voisin commode,
Et, modèle des potentats,
24   Prit le plaisir pour code.
Ce n'est que lorsqu'il expira
Que le peuple, qui l'enterra
                Pleura.

Oh ! oh ! oh ! oh ! ah ! ah ! ah ! ah !
Quel bon petit roi c'était là !
La, la.

4 On conserve encor le portrait
De ce digne et bon prince ;
C'est l'enseigne d'un cabaret
Fameux dans la province.
8 Les jours de fête, bien souvent,
La foule s'écrie en buvant
Devant :
Oh ! oh ! oh ! oh ! ah ! ah ! ah ! ah !
12 Quel bon petit roi c'était là !
La, la.

Mai 1813.

———

2.

ADIEUX DE MARIE STUART.

ADIEU, charmant pays de France,
Que je dois tant chérir !
16 Berceau de mon heureuse enfance,
Adieu ! te quitter, c'est mourir.

Toi que j'adoptai pour patrie,
Et d'où je crois me voir bannir,
20 Entends les adieux de Marie,
France, et garde son souvenir.
Le vent souffle, on quitte la plage,
Et, peu touché de mes sanglots,

Dieu, pour me rendre à ton rivage,
Dieu n'a point soulevé les flots !

Adieu, charmant pays de France,
    Que je dois tant chérir !
Berceau de mon heureuse enfance,
Adieu ! te quitter, c'est mourir.

Lorsqu'aux yeux du peuple que j'aime
Je ceignis les lis éclatants,
Il applaudit au rang suprême
Moins qu'aux charmes de mon printemps.
En vain la grandeur souveraine
M'attend chez le sombre Écossais :
Je n'ai désiré d'être reine
Que pour régner sur des Français.

Adieu, charmant pays de France,
    Que je dois tant chérir !
Berceau de mon heureuse enfance,
Adieu ! te quitter, c'est mourir.

L'amour, la gloire, le génie,
Ont trop enivré mes beaux jours ;
Dans l'inculte Calédonie
De mon sort va changer le cours.
Hélas ! un présage terrible
Doit livrer mon cœur à l'effroi :
J'ai cru voir, dans un songe horrible,
Un échafaud dressé pour moi.

Adieu, charmant pays de France,
Que je dois tant chérir !
Berceau de mon heureuse enfance,
4   Adieu ! te quitter, c'est mourir.

France, du milieu des alarmes,
La noble fille des Stuarts,
Comme en ce jour qui voit ses larmes,
8   Vers toi tournera ses regards.
Mais, Dieu ! le vaisseau trop rapide
Déjà vogue sous d'autres cieux ;
Et la nuit, dans son voile humide,
12   Dérobe tes bords à mes yeux !

Adieu, charmant pays de France,
Que je dois tant chérir !
Berceau de mon heureuse enfance,
16   Adieu ! te quitter, c'est mourir.

3.

LES OISEAUX.

COUPLETS

ADRESSÉS À M. ARNAULT, PARTANT POUR SON EXIL.
Janvier 1816.

L'HIVER, redoublant ses ravages,
Désole nos toits et nos champs ;
Les oiseaux sur d'autres rivages
20   Portent leurs amours et leurs chants.

Mais le calme d'un autre asile
Ne les rendra pas inconstants :
Les oiseaux que l'hiver exile
4   Reviendront avec le printemps.

A l'exil le sort les condamne,
Et plus qu'eux nous en gémissons !
Du palais et de la cabane
8   L'écho redisait leurs chansons.
Qu'ils aillent d'un bord plus tranquille
Charmer les heureux habitants.
Les oiseaux que l'hiver exile
12   Reviendront avec le printemps.

Oiseaux fixés sur cette plage,
Nous portons envie à leur sort.
Déjà plus d'un sombre nuage
16   S'élève et gronde au fond du Nord.
Heureux qui sur une aile agile
Peut s'éloigner quelques instants !
Les oiseaux que l'hiver exile
20   Reviendront avec le printemps.

Ils penseront à notre peine,
Et, l'orage enfin dissipé,
Ils reviendront sur le vieux chêne
24   Que tant de fois il a frappé.
Pour prédire au vallon fertile
De beaux jours alors plus constants,
Les oiseaux que l'hiver exile
28   Reviendront avec le printemps.

4.

MON HABIT.

Sois-moi fidèle, ô pauvre habit que j'aime !
Ensemble nous devenons vieux.
Depuis dix ans je te brosse moi-même,
4 Et Socrate n'eût pas fait mieux.
Quand le sort à ta mince étoffe
Livrerait de nouveaux combats,
Imite-moi, résiste en philosophe :
8 Mon vieil ami, ne nous séparons pas.

Je me souviens, car j'ai bonne mémoire,
Du premier jour où je te mis.
C'était ma fête, et, pour comble de gloire,
12 Tu fus chanté par mes amis.
Ton indigence, qui m'honore,
Ne m'a point banni de leurs bras.
Tous ils sont prêts à nous fêter encore :
16 Mon vieil ami, ne nous séparons pas.

A ton revers j'admire une reprise :
C'est encore un doux souvenir.
Feignant un soir de fuir la tendre Lise,
20 Je sens sa main me retenir.
On te déchire, et cet outrage
Auprès d'elle enchaîne mes pas.
Lisette a mis deux jours à tant d'ouvrage :
24 Mon vieil ami, ne nous séparons pas.

T'ai-je imprégné des flots de musc et d'ambre
Qu'un fat exhale en se mirant?
M'a-t-on jamais vu dans une antichambre
4   T'exposer au mépris d'un grand?
Pour des rubans la France entière
Fut en proie à de longs débats ;
La fleur des champs brille à ta boutonnière :
8   Mon vieil ami, ne nous séparons pas.

Ne crains plus tant ces jours de courses vaines
Où notre destin fut pareil ;
Ces jours mêlés de plaisirs et de peines,
12   Mêlés de pluie et de soleil.
Je dois bientôt, il me le semble,
Mettre pour jamais habit bas.
Attends un peu ; nous finirons ensemble :
16   Mon vieil ami, ne nous séparons pas.

5.

LA SAINTE ALLIANCE DES PEUPLES.

CHANSON CHANTÉE À LIANCOURT POUR LA FÊTE DONNÉE PAR
M. LE DUC DE LA ROCHEFOUCAULD, EN RÉJOUISSANCE DE
L'ÉVACUATION DU TERRITOIRE FRANÇAIS AU MOIS D'OC‧
TOBRE 1818.

J'AI vu la Paix descendre sur la terre,
Semant de l'or, des fleurs et des épis.
L'air était calme, et du dieu de la guerre
20   Elle étouffait les foudres assoupis.

" Ah ! disait-elle, égaux par la vaillance,
Français, Anglais, Belge, Russe ou Germain,
Peuples, formez une sainte alliance,
4   Et donnez-vous la main.

" Pauvres mortels, tant de haine vous lasse ;
Vous ne goûtez qu'un pénible sommeil.
D'un globe étroit divisez mieux l'espace :
8   Chacun de vous aura place au soleil.
Tous attelés au char de la puissance,
Du vrai bonheur vous quittez le chemin.
Peuples, formez une sainte alliance,
12   Et donnez-vous la main.

" Chez vos voisins vous portez l'incendie ;
L'aquilon souffle, et vos toits sont brûlés ;
Et, quand la terre est enfin refroidie,
16   Le soc languit sous des bras mutilés.
Près de la borne où chaque État commence,
Aucun épi n'est pur de sang humain.
Peuples, formez une sainte alliance,
20   Et donnez-vous la main.

" Des potentats, dans vos cités en flammes,
Osent, du bout de leur sceptre insolent,
Marquer, compter, et recompter les âmes
24   Que leur adjuge un triomphe sanglant.
Faibles troupeaux, vous passez, sans défense,
D'un joug pesant sous un joug inhumain.
Peuples, formez une sainte alliance,
28   Et donnez-vous la main.

    " Que Mars en vain n'arrête point sa course ;
    Fondez des lois dans vos pays souffrants ;
    De votre sang ne livrez plus la source
4   Aux rois ingrats, aux vastes conquérants.
    Des astres faux conjurez l'influence ;
    Effroi d'un jour, ils pâliront demain.
    Peuples, formez une sainte alliance,
8   Et donnez-vous la main.

    " Oui, libre enfin, que le monde respire ;
    Sur le passé jetez un voile épais.
    Semez vos champs aux accords de la lyre ;
12   L'encens des arts doit brûler pour la paix.
    L'espoir riant, au sein de l'abondance,
    Accueillera les doux fruits de l'hymen.
    Peuples, formez une sainte alliance,
16   Et donnez-vous la main."

    Ainsi parlait cette vierge adorée,
    Et plus d'un roi répétait ses discours.
    Comme au printemps la terre était parée ;
20   L'automne en fleurs rappelait les amours.
    Pour l'étranger coulez, bons vins de France :
    De sa frontière il reprend le chemin.
    Peuples, formons une sainte alliance,
24   Et donnons-nous la main.

6.

LES ENFANTS DE LA FRANCE.

REINE du monde, ô France ! ô ma patrie !
Soulève enfin ton front cicatrisé.
Sans qu'à tes yeux leur gloire en soit flétrie,
4   De tes enfants l'étendard s'est brisé.
Quand la Fortune outrageait leur vaillance,
Quand de tes mains tombait ton sceptre d'or,
    Tes ennemis disaient encor :
8   Honneur aux enfants de la France !

De tes grandeurs tu sus te faire absoudre,
France, et ton nom triomphe des revers.
Tu peux tomber, mais c'est comme la foudre
12   Qui se relève et gronde au haut des airs.
Le Rhin aux bords ravis à ta puissance
Porte à regret le tribut de ses eaux ;
    Il crie au fond de ses roseaux :
16   Honneur aux enfants de la France !

Pour effacer des coursiers du Barbare
Les pas empreints dans tes champs profanés,
Jamais le ciel te fut-il moins avare ?
20   D'épis nombreux vois ces champs couronnés.
D'un vol fameux prompts à venger l'offence,
Vois les beaux-arts, consolant leurs autels,
    Y graver en traits immortels :
24   Honneur aux enfants de la France !

Prête l'oreille aux accents de l'histoire :
Quel peuple ancien devant toi n'a tremblé?
Quel nouveau peuple, envieux de ta gloire,
4   Ne fut cent fois de ta gloire accablé?
En vain l'Anglais a mis dans la balance
L'or que pour vaincre ont mendié les rois ;
      Des siècles entends-tu la voix?
8   Honneur aux enfants de la France !

Dieu, qui punit le tyran et l'esclave,
Veut te voir libre, et libre pour toujours.
Que tes plaisirs ne soient plus une entrave :
12 La Liberté doit sourire aux amours.
Prends son flambeau, laisse dormir sa lance ;
Instruis le monde, et cent peuples divers
Chanteront en brisant leurs fers :
16   Honneur aux enfants de la France !

Relève-toi, France, reine du monde !
Tu vas cueillir tes lauriers les plus beaux.
Oui, d'âge en âge une palme féconde
20 Doit de tes fils protéger les tombeaux.
Que près du mien, telle est mon espérance,
Pour la patrie admirant mon amour,
      Le voyageur répète un jour :
24   Honneur aux enfants de la France !

1819.

7.

LES HIRONDELLES.

Captif au rivage du More,
Un guerrier, courbé sous ses fers,
Disait : Je vous revois encore,
Oiseaux ennemis des hivers.
Hirondelles, que l'espérance
Suit jusqu'en ces brûlants climats,
Sans doute vous quittez la France :
De mon pays ne me parlez-vous pas ?

Depuis trois ans je vous conjure
De m'apporter un souvenir
Du vallon où ma vie obscure
Se berçait d'un doux avenir.
Au détour d'une eau qui chemine
A flots purs sous de frais lilas,
Vous avez vu notre chaumine :
De ce vallon ne me parlez-vous pas ?

L'une de vous peut-être est née
Au toit où j'ai reçu le jour ;
Là d'une mère infortunée
Vous avez dû plaindre l'amour.
Mourante, elle croit à toute heure
Entendre le bruit de mes pas ;
Elle écoute, et puis elle pleure :
De son amour ne me parlez-vous pas ?

Ma sœur est-elle mariée ?

Avez-vous vu de nos garçons

La foule, aux noces conviée,

4   La célébrer dans leurs chansons ?

Et ces compagnons du jeune âge

Qui m'ont suivi dans les combats,

Ont-ils revu tous le village ?

8   De tant d'amis ne me parlez-vous pas ?

Sur leur corps l'étranger, peut-être,

Du vallon reprend le chemin ;

Sous mon chaume il commande en maître,

12   De ma sœur il trouble l'hymen.

Pour moi plus de mère qui prie,

Et partout des fers ici-bas.

Hirondelle de ma patrie,

16   De ses malheurs ne me parlez-vous pas ?

8.

LAFAYETTE EN AMÉRIQUE.

RÉPUBLICAINS, quel cortège s'avance ?

— Un vieux guerrier débarque parmi nous.

— Vient-il d'un roi vous jurer l'alliance ?

20   — Il a des rois allumé le courroux.

— Est-il puissant ? — Seul il franchit les ondes.

— Qu'a-t-il donc fait ? — Il a brisé des fers.

Gloire immortelle à l'homme des deux mondes !

24   Jours de triomphe, éclairez l'univers !

Européen, partout, sur ce rivage
Qui retentit de joyeuses clameurs,
Tu vois régner, sans trouble et sans servage,
4   La paix, les lois, le travail et les mœurs.
Des opprimés ces bords sont le refuge ;
La tyrannie a peuplé nos déserts.
L'homme et ses droits ont ici Dieu pour juge.
8   Jours de triomphe, éclairez l'univers !

Mais que de sang nous coûta ce bien-être !
Nous succombions ; Lafayette accourut,
Montra la France, eut Washington pour maître,
12   Lutta, vainquit, et l'Anglais disparut.
Pour son pays, pour la liberté sainte,
Il a depuis grandi dans les revers.
Des fers d'Olmutz nous effaçons l'empreinte.
16   Jours de triomphe, éclairez l'univers !

Ce vieil ami que tant d'ivresse accueille
Par un héros ce héros adopté,
Bénit jadis, à sa première feuille,
20   L'arbre naissant de notre liberté.
Mais, aujourd'hui que l'arbre et son feuillage
Bravent en paix la foudre et les hivers,
Il vient s'asseoir sous son fertile ombrage.
24   Jours de triomphe, éclairez l'univers !

Autour de lui, vois nos chefs, vois nos sages,
Nos vieux soldats, se rappelant ses traits ;
Vois tout un peuple et ses tribus sauvages
28   A son nom seul sortant de leurs forêts.

L'arbre sacré sur ce concours immense
Forme un abri de rameaux toujours verts :
Les vents au loin porteront sa semence.
4 Jours de triomphe, éclairez l'univers !

L'Européen, que frappent ces paroles,
Servit des rois, suivit des conquérants :
Un peuple esclave encensait ces idoles ;
8 Un peuple libre a des honneurs plus grands.
Hélas ! dit-il, et son œil sur les ondes
Semble chercher des bords lointains et chers :
Que la vertu rapproche les deux mondes !
12 Jours de triomphe, éclairez l'univers !

9.

LES SOUVENIRS DU PEUPLE.

On parlera de sa gloire
Sous le chaume bien longtemps,
L'humble toit, dans cinquante ans
16 Ne connaîtra plus d'autre histoire.
Là viendront les villageois
Dire alors à quelque vieille :
Par des récits d'autrefois,
20 Mère, abrégez notre veille.
Bien, dit-on, qu'il nous ait nui,
Le peuple encor le révère,
Oui, le révère.

Parlez-nous de lui, grand'mère,
　　Parlez-nous de lui.

Mes enfants, dans ce village,
Suivi de rois, il passa.
Voilà bien longtemps de ça :
Je venais d'entrer en ménage.
A pied grimpant le coteau
Où pour voir je m'étais mise,
Il avait petit chapeau
Avec redingote grise.
Près de lui je me troublai ;
Il me dit : Bonjour, ma chère,
　　Bonjour, ma chère.
— Il vous a parlé, grand'mère !
　　Il vous a parlé !

L'an d'après, moi, pauvre femme,
A Paris étant un jour,
Je le vis avec sa cour :
Il se rendait à Notre-Dame.
Tous les cœurs étaient contents ;
On admirait son cortège.
Chacun disait : Quel beau temps !
Le ciel toujours le protège.
Son sourire était bien doux ;
D'un fils Dieu le rendait père,
　　Le rendait père.
— Quel beau jour pour vous, grand'mère !
　　Quel beau jour pour vous !

Mais, quand la pauvre Champagne
Fut en proie aux étrangers,
Lui, bravant tous les dangers,
4 Semblait seul tenir la campagne.
Un soir, tout comme aujourd'hui,
J'entends frapper à la porte ;
J'ouvre. Bon Dieu ! c'était lui,
8 Suivi d'une faible escorte.
Il s'assoït où me voilà,
S'écriant : Oh ! quelle guerre !
  Oh ! quelle guerre !
12 — Il s'est assis là, grand'mère !
  Il s'est assis là !

J'ai faim, dit-il ; et bien vite
Je sers piquette et pain bis ;
16 Puis il sèche ses habits,
Même à dormir le feu l'invite.
Au réveil, voyant mes pleurs,
Il me dit : Bonne espérance !
20 Je cours de tous ses malheurs
Sous Paris venger la France.
Il part ; et, comme un trésor,
J'ai depuis gardé son verre,
24 Gardé son verre.
  — Vous l'avez encor, grand'mère !
  Vous l'avez encor !

Le voici. Mais à sa perte
28 Le héros fut entraîné.

Lui, qu'un pape a couronné,
Est mort dans une île déserte.
Longtemps aucun ne l'a cru ;
4 On disait : il va paraître.
Par mer il est accouru ;
L'étranger va voir son maître.
Quand d'erreur on nous tira,
8 Ma douleur fut bien amère !
Fut bien amère !
— Dieu vous bénira, grand'mère,
Dieu vous bénira.

10.

LE TOMBEAU DE MANUEL.

12 TOUT est fini ; la foule se disperse ;
A son cercueil un peuple a dit adieu,
Et l'Amitié des larmes qu'elle verse
Ne fera plus confidence qu'à Dieu.
16 J'entends sur lui la terre qui retombe.
Hélas ! Français, vous l'allez oublier.
A vos enfants pour indiquer sa tombe,
Prêtez secours au pauvre chansonnier.

20 Je quête ici pour honorer les restes
D'un citoyen votre plus ferme appui.
J'eus le secret de ses vertus modestes :
Bras, tête et cœur, tout était peuple en lui.

L'humble tombeau qui sied à sa dépouille
Est par nous tous un tribut à payer.
Près de sa fosse un ami s'agenouille :
4   Prêtez secours au pauvre chansonnier.

Mon cœur lui doit ces soins pieux et tendres.
Voilà douze ans qu'en des jours désastreux,
Sur les débris de la patrie en cendres,
8   Nous nous étions rencontrés tous les deux.
Moi, je chantais ; lui, vétéran d'Arcole,
Sourit au luth vengeur d'un vieux laurier.
Grâce à vos dons, qu'un tombeau me console :
12   Prêtez secours au pauvre chansonnier.

L'ambition n'effleurait point sa vie ;
Mais, même aux champs, rêvant un beau trépas,
Il écoutait si la France asservie,
16   En appelant, ne se réveillait pas.
Contre la mort j'aurais eu son courage,
Quand sur son bras je pouvais m'appuyer.
Ma voix pour lui demande un peu d'ombrage :
20   Prêtez secours au pauvre chansonnier.

Contre un pouvoir qui de nous se sépare
Son éloquence a toujours combattu.
Ce n'était pas la foudre qui s'égare ;
24   C'était un glaive aux mains de la Vertu.
De la tribune on l'arrache ; il en tombe
Entre les bras d'un peuple tout entier.
La haine est là ; défendons bien sa tombe :
28   Prêtez secours au pauvre chansonnier.

Tu l'oublias, peuple encor trop volage,
Sitôt qu'à l'ombre il goûta le repos.
Mais noble esquif, mis à sec sur la plage,
4   Il dut compter sur le retour des flots.
La seule mort troubla la solitude
Où mes chansons accouraient l'égayer.
Pour effacer quatre ans d'ingratitude,
8   Prêtez secours au pauvre chansonnier.

Oui, qu'un tombeau témoigne de nos larmes.
Assistez-moi, vous pour qui j'ai chanté
Paix et concorde au bruit sanglant des armes,
12   Et sous le joug espoir et liberté.
Payez mes chants doux à votre mémoire :
Je tends la main au plus humble denier.
De Manuel pour consacrer la gloire,
16   Prêtez secours au pauvre chansonnier.

11.

LE VIEUX VAGABOND.

Dans ce fossé cessons de vivre ;
Je finis vieux, infirme et las.
Les passants vont dire : Il est ivre ;
20   Tant mieux ! ils ne me plaindront pas.
J'en vois qui détournent la tête ;
D'autres me jettent quelques sous.
Courez vite ; allez à la fête.
24   Vieux vagabond, je puis mourir sans vous.

Oui, je meurs ici de vieillesse,
Parce qu'on ne meurt pas de faim.
J'espérais voir de ma détresse
4　　L'hôpital adoucir la fin ;
Mais tout est plein dans chaque hospice,
Tant le peuple est infortuné !
La rue, hélas ! fut ma nourrice :
8　Vieux vagabond, mourons où je suis né.

Aux artisans, dans mon jeune âge,
J'ai dit : Qu'on m'enseigne un métier. .
Va, nous n'avons pas trop d'ouvrage,
12　　Répondaient-ils, va mendier.
Riches, qui me disiez : Travaille,
J'eus bien des os de vos repas ;
J'ai bien dormi sur votre paille.
16　Vieux vagabond, je ne vous maudis pas.

J'aurais pu voler, moi, pauvre homme ;
Mais non : mieux vaut tendre la main.
Au plus, j'ai dérobé la pomme
20　　Qui mûrit au bord du chemin.
Vingt fois pourtant on me verrouille
Dans les cachots, de par le roi.
De mon seul bien l'on me dépouille.
24　Vieux vagabond, le soleil est à moi.

Le pauvre a-t-il une patrie ?
Que me font vos vins et vos blés,
Votre gloire et votre industrie,
28　　Et vos orateurs assemblés ?

Dans vos murs ouverts à ses armes,
Lorsque l'étranger s'engraissait,
Comme un sot j'ai versé des larmes.
4 Vieux vagabond, sa main me nourrissait.

Comme un insecte fait pour nuire,
Hommes, que ne m'écrasiez-vous?
Ah! plutôt vous deviez m'instruire
8 A travailler au bien de tous.
Mis à l'abri du vent contraire,
Le ver fût devenu fourmi.
Je vous aurais chéris en frère.
12 Vieux vagabond, je meurs votre ennemi.

12.

LE GRILLON.

Au coin de l'âtre où je tisonne
En rêvant à je ne sais quoi,
Petit grillon, chante avec moi,
16 Qui, déjà vieux, toujours chansonne.
Petit grillon, n'ayons ici,
N'ayons du monde aucun souci.

Nos existences sont pareilles:
20 Si l'enfant s'amuse à ta voix,
Artisan, soldat, villageois,
A la mienne ont charmé leurs veilles.

Petit grillon, n'ayons ici,
N'ayons du monde aucun souci.

Mais sous ta forme hétéroclite
4   Un lutin n'est-il pas caché?
Vient-il voir si quelque péché
Tient compagnie au vieil ermite?
Petit grillon, n'ayons ici,
8   N'ayons du monde aucun souci.

N'es-tu pas sylphe et petit page
De quelque fée au doux pouvoir,
Qui t'adresse à moi pour savoir
12   A quoi le cœur sert à mon âge?
Petit grillon, n'ayons ici,
N'ayons du monde aucun souci.

Non ; mais en toi, je le veux croire,
16   Revit un auteur qui, jadis,
Mourut de froid dans son taudis
En guettant un rayon de gloire.
Petit grillon, n'ayons ici,
20   N'ayons du monde aucun souci.

Docteur, tribun, homme de secte,
On veut briller, l'auteur surtout.
Dieu, servez chacun à son goût :
24   De la gloire à ce pauvre insecte.
Petit grillon, n'ayons ici,
N'ayons du monde aucun souci.

La gloire ! est fou qui la désire :
Le sage en dédaigne le soin.
Heureux qui recèle en un coin
4   Sa foi, ses amours et sa lyre !
Petit grillon, n'ayons ici,
N'ayons du monde aucun souci.

L'envie est là qui nous menace.
8   Guerre à tout nom qui retentit !
Au fait, plus ce globe est petit,
Moins on y doit prendre de place.
Petit grillon, n'ayons ici,
12   N'ayons du monde aucun souci.

Ah ! si tu fus ce que je pense,
Ris du lot qui t'avait tenté ;
Ce qu'on gagne en célébrité,
16   On le perd en indépendance.
Petit grillon, n'ayons ici,
N'ayons du monde aucun souci.

Au coin du feu, tous deux à l'aise,
20   Chantant, l'un par l'autre égayés,
Prions Dieu de vivre oubliés,
Toi, dans ton trou, moi, sur ma chaise.
Petit grillon, n'ayons ici,
24   N'ayons du monde aucun souci.

FONTAINEBLEAU, 1836.

III.

LAMARTINE.

❧

1.

LE LAC.

Ainsi, toujours poussés vers de nouveaux rivages,
Dans la nuit éternelle emportés sans retour,
Ne pourrons-nous jamais sur l'océan des âges
4   Jeter l'ancre un seul jour?

O lac ! l'année à peine a fini sa carrière,
Et près des flots chéris qu'elle devait revoir,
Regarde ! je viens seul m'asseoir sur cette pierre
8   Où tu la vis s'asseoir !

Tu mugissais ainsi sous ces roches profondes ;
Ainsi tu te brisais sur leurs flancs déchirés ;
Ainsi le vent jetait l'écume de tes ondes
12   Sur ses pieds adorés.

Un soir, t'en souvient-il ? nous voguions en silence ;
On n'entendait au loin, sur l'onde et sous les cieux,
Que le bruit des rameurs qui frappaient en cadence
16   Tes flots harmonieux.

Tout à coup des accents inconnus à la terre
Du rivage charmé frappèrent les échos ;
Le flot fut attentif, et la voix qui m'est chère
4   Laissa tomber ces mots :

" O temps, suspends ton vol ! et vous, heures propices,
          Suspendez votre cours !
Laissez-nous savourer les rapides délices
8   Des plus beaux de nos jours !

" Assez de malheureux ici-bas vous implorent :
          Coulez, coulez pour eux ;
Prenez avec leurs jours les soins qui les dévorent ;
12   Oubliez les heureux.

" Mais je demande en vain quelques moments encore,
          Le temps m'échappe et fuit ;
Je dis à cette nuit : ' Sois plus lente ; ' et l'aurore
16   Va dissiper la nuit.

" Aimons donc, aimons donc ! de l'heure fugitive,
          Hâtons-nous, jouissons !
L'homme n'a point de port, le temps n'a point de rive ;
20   Il coule, et nous passons ! "

Temps jaloux, se peut-il que ces moments d'ivresse,
Où l'amour à longs flots nous verse le bonheur,
S'envolent loin de nous de la même vitesse
24   Que les jours de malheur ?

Eh quoi! n'en pourrons-nous fixer au moins la trace?
Quoi! passés pour jamais? quoi! tout entiers perdus?
Ce temps qui les donna, ce temps qui les efface,
4   Ne nous les rendra plus?

Éternité, néant, passé, sombres abîmes,
Que faites-vous des jours que vous engloutissez?
Parlez: nous rendrez-vous ces extases sublimes
8   Que vous nous ravissez?

O lac! rochers muets! grottes! forêt obscure!
Vous que le temps épargne ou qu'il peut rajeunir,
Gardez de cette nuit, gardez, belle nature,
12   Au moins le souvenir!

Qu'il soit dans ton repos, qu'il soit dans tes orages,
Beau lac, et dans l'aspect de tes riants coteaux,
Et dans ces noirs sapins, et dans ces rocs sauvages
16   Qui pendent sur tes eaux!

Qu'il soit dans le zéphyr qui frémit et qui passe,
Dans les bruits de tes bords par tes bords répétés,
Dans l'astre au front d'argent qui blanchit ta surface
20   De ses molles clartés!

Que le vent qui gémit, le roseau qui soupire,
Que les parfums légers de ton air embaumé,
Que tout ce qu'on entend, l'on voit ou l'on respire,
24   Tout dise: "Ils ont aimé!"

Premières Méditations.

2.

LE SOIR.

LE soir ramène le silence.
Assis sur ces rochers déserts,
Je suis dans le vague des airs
4   Le char de la nuit qui s'avance.

Vénus se lève à l'horizon ;
A mes pieds l'étoile amoureuse
De sa lueur mystérieuse
8   Blanchit les tapis de gazon.

De ce hêtre au feuillage sombre
J'entends frissonner les rameaux :
On dirait autour des tombeaux
12   Qu'on entend voltiger une ombre.

Tout à coup, détaché des cieux,
Un rayon de l'astre nocturne,
Glissant sur mon front taciturne,
16   Vient mollement toucher mes yeux.

Doux reflet d'un globe de flamme,
Charmant rayon, que me veux-tu ?
Viens-tu dans mon sein abattu
20   Porter la lumière à mon âme ?

Descends-tu pour me révéler
Des mondes le divin mystère,
Ces secrets cachés dans la sphère
4   Où le jour va te rappeler?

Une secrète intelligence
T'adresse-t-elle aux malheureux?
Viens-tu, la nuit, briller sur eux
8   Comme un rayon de l'espérance?

Viens-tu dévoiler l'avenir
Au cœur fatigué qui l'implore?
Rayon divin, es-tu l'aurore
12   Du jour qui ne doit pas finir?

Mon cœur à ta clarté s'enflamme,
Je sens des transports inconnus,
Je songe à ceux qui ne sont plus:
16   Douce lumière, es-tu leur âme?

Peut-être ces mânes heureux
Glissent ainsi sur le bocage.
Enveloppé de leur image,
20   Je crois me sentir plus près d'eux!

Ah! si c'est vous, ombres chéries,
Loin de la foule et loin du bruit,
Revenez ainsi chaque nuit
24   Vous mêler à mes rêveries.

Ramenez la paix et l'amour
Au sein de mon âme épuisée,
Comme la nocturne rosée
4   Qui tombe après les feux du jour.

Venez ! . . . Mais des vapeurs funèbres
Montent des bords de l'horizon :
Elles voilent le doux rayon,
8   Et tout rentre dans les ténèbres.

PREMIÈRES MÉDITATIONS.

_____

3.

LE VALLON.

MON cœur, lassé de tout, même de l'espérance,
N'ira plus de ses vœux importuner le sort ;
Prêtez-moi seulement, vallon de mon enfance,
12 Un asile d'un jour pour attendre la mort.

Voici l'étroit sentier de l'obscure vallée :
Du flanc de ces coteaux pendent des bois épais
Qui, courbant sur mon front leur ombre entremêlée,
16 Me couvrent tout entier de silence et de paix.

Là, deux ruisseaux cachés sous des ponts de verdure
Tracent en serpentant les contours du vallon ;
Ils mêlent un moment leur onde et leur murmure,
20 Et non loin de leur source ils se perdent sans nom.

La source de mes jours comme eux s'est écoulée ;
Elle a passé sans bruit, sans nom et sans retour :
Mais leur onde est limpide, et mon âme troublée
4 N'aura pas réfléchi les clartés d'un beau jour.

La fraîcheur de leurs lits, l'ombre qui les couronne,
M'enchaînent tout le jour sur les bords des ruisseaux ;
Comme un enfant bercé par un chant monotone
8 Mon âme s'assoupit au murmure des eaux.

Ah ! c'est là qu'entouré d'un rempart de verdure,
D'un horizon borné qui suffit à mes yeux,
J'aime à fixer mes pas, et, seul dans la nature,
12 A n'entendre que l'onde, à ne voir que les cieux.

J'ai trop vu, trop senti, trop aimé dans ma vie ;
Je viens chercher vivant le calme du Léthé.
Beaux lieux, soyez pour moi ces bords où l'on oublie :
16 L'oubli seul désormais est ma félicité.

Mon cœur est en repos, mon âme est en silence ;
Le bruit lointain du monde expire en arrivant,
Comme un son éloigné qu'affaiblit la distance,
20 A l'oreille incertaine apporté par le vent.

D'ici je vois la vie, à travers un nuage,
S'évanouir pour moi dans l'ombre du passé ;
L'amour seul est resté, comme une grande image
24 Survit seule au réveil dans un songe effacé.

Repose-toi, mon âme, en ce dernier asile,
Ainsi qu'un voyageur qui, le cœur plein d'espoir,
S'assied, avant d'entrer, aux portes de la ville,
4 Et respire un moment l'air embaumé du soir.

Comme lui, de nos pieds secouons la poussière ;
L'homme par ce chemin ne repasse jamais :
Comme lui, respirons au bout de la carrière
8 Ce calme avant-coureur de l'éternelle paix.

Tes jours, sombres et courts comme les jours d'automne,
Déclinent comme l'ombre au penchant des coteaux ;
L'amitié te trahit, la pitié t'abandonne,
12 Et, seule, tu descends le sentier des tombeaux.

Mais la nature est là qui t'invite et qui t'aime ;
Plonge-toi dans son sein qu'elle t'ouvre toujours :
Quand tout change pour toi, la nature est la même,
16 Et le même soleil se lève sur tes jours.

De lumière et d'ombrage elle t'entoure encore ;
Détache ton amour des faux biens que tu perds ;
Adore ici l'écho qu'adorait Pythagore,
20 Prête avec lui l'oreille aux célestes concerts.

Suis le jour dans le ciel, suis l'ombre sur la terre ;
Dans les plaines de l'air vole avec l'aquilon ;
Avec le doux rayon de l'astre du mystère
24 Glisse à travers les bois dans l'ombre du vallon.

Dieu, pour le concevoir, a fait l'intelligence :
Sous la nature enfin découvre son auteur !
Une voix à l'esprit parle dans son silence :
4   Qui n'a pas entendu cette voix dans son cœur?

PREMIÈRES MÉDITATIONS.

4.

A UNE FLEUR

SÉCHÉE DANS UN ALBUM.

Il m'en souvient, c'était aux plages
Où m'attire un ciel du Midi,
Ciel sans souillure et sans orages,
8   Où j'aspirais sous les feuillages
Les parfums d'un air attiédi.

Une mer qu'aucun bord n'arrête
S'étendait bleue à l'horizon ;
12   L'oranger, cet arbre de fête,
Neigeait par moments sur ma tête ;
Des odeurs montaient du gazon.

Tu croissais près d'une colonne
16   D'un temple écrasé par le temps ;
Tu lui faisais une couronne,
Tu parais son tronc monotone
Avec tes chapiteaux flottants ;

Fleur qui décores la ruine
Sans un regard pour t'admirer !
Je cueillis ta blanche étamine,
4   Et j'emportai sur ma poitrine
Les parfums pour les respirer.

Aujourd'hui, ciel, temple, rivage,
Tout a disparu sans retour :
8   Ton parfum est dans le nuage,
Et je trouve, en tournant la page,
La trace morte d'un beau jour !

Premières Méditations. 1827.

5.

LES SAISONS.

Au printemps, les lis des champs filent
12   Leur tunique aux chastes couleurs ;
Les gouttes que les nuits distillent
Le matin se changent en fleurs.
La terre est un faisceau de tiges
16   Dont l'odeur donne des vertiges
Qui font délirer tous les sens ;
Les brises folles, les mains pleines,
Portent à Dieu, dans leurs haleines,
20   Tout ce que ce globe a d'encens.

En été les feuillages sombres,
Où flottent les chants des oiseaux,

Jettent le voile de leurs ombres
Entre le soleil et les eaux ;
Des sillons les vagues fécondes
4   Font un océan de leurs ondes,
Où s'entre-choquent les épis ;
Le chaume, en or changeant ses herbes,
Fait un oreiller de ses gerbes
8   Sous les moissonneurs assoupis.

Ainsi qu'une hôtesse attentive
Après le pain donne le miel,
L'automne à l'homme, son convive,
12   Sert tour à tour les fruits du ciel :
Le raisin pend, la figue pleure,
La banane épaissit son beurre,
La cerise luit sous l'émail,
16   La pêche de duvet se pluche,
Et la grenade, verte ruche,
Ouvre ses rayons de corail.

L'hiver, du lait des neiges neuves
20   Couvrant les nuageux sommets,
Gonfle ces mamelles des fleuves
D'un suc qui ne tarit jamais.
Le bois mort, ce fruit de décembre,
24   Tombe du chêne que démembre
La main qui le fit verdoyer,
Et, couvé dans le creux de l'âtre,
Il rallume au souffle du pâtre
28   Le feu, ce soleil du foyer.

O Providence ! ô vaste aumône
Dont tout être est le mendiant !
Vœux et grâce autour de son trône
Montent sans cesse en suppliant.
Quels pleurs ou quels parfums répandre ? . . .
Hélas ! nous n'avons à te rendre
Rien, que les dons que tu nous fais.
Reçois de toute créature
Ce *Te Deum* de la nature,
Ses misères et tes bienfaits !

HARMONIES POÉTIQUES ET RELIGIEUSES.

Quatre vingt treize

Hernani

IV.

VICTOR HUGO.

———◦✦◦———

1.

ATTENTE.

Esperaba, desperada.

MONTE, écureuil, monte au grand chêne,
Sur la branche des cieux prochaine,
Qui plie et tremble comme un jonc.
4   Cigogne, aux vieilles tours fidèle,
Oh ! vole et monte à tire-d'aile
De l'église à la citadelle,
Du haut clocher au grand donjon.

8   Vieux aigle, monte de ton aire
A la montagne centenaire
Que blanchit l'hiver éternel.
Et toi qu'en ta couche inquiète
12   Jamais l'aube ne vit muette,
Monte, monte, vive alouette,
Vive alouette, monte au ciel !

Et maintenant, du haut de l'arbre,
16   Des flèches de la tour de marbre,

> Du grand mont, du ciel enflammé,
> A l'horizon, parmi la brume,
> Voyez-vous flotter une plume,
> Et courir un cheval qui fume,
> Et revenir mon bien-aimé?

LES ORIENTALES.   1er juin 1828.

2.

LES DJINNS.

> E come i gru van cantando lor lai,
> Facendo in aer di se lunga riga,
> Così vid' io venir traendo guai
> Ombre portate dalla detta briga.

DANTE.

Et comme les grues qui font dans l'air de longues files vont chantant leur plainte, ainsi je vis venir traînant des gémissements les ombres emportées par cette tempête.

> Murs, ville,
> Et port,
> Asile
> De mort,
> Mer grise
> Où brise
> La brise,
> Tout dort.
>
> Dans la plaine
> Naît un bruit.
> C'est l'haleine
> De la nuit.

Elle brame
Comme une âme
Qu'une flamme
4   Toujours suit.

La voix plus haute
Semble un grelot.
D'un nain qui saute
8   C'est le galop.
Il fuit, s'élance,
Puis en cadence
Sur un pied danse
12   Au bout d'un flot.

La rumeur approche,
L'écho la redit.
C'est comme la cloche
16   D'un couvent maudit,
Comme un bruit de foule
Qui tonne et qui roule,
Et tantôt s'écroule
20   Et tantôt grandit.

Dieu ! la voix sépulcrale
Des Djinns ! . . . — Quel bruit ils font !
Fuyons sous la spirale
24   De l'escalier profond !
Déjà s'éteint ma lampe,
Et l'ombre de la rampe,
Qui le long du mur rampe,
28   Monte jusqu'au plafond.

C'est l'essaim des Djinns qui passe,
Et tourbillonne en sifflant.
Les ifs, que leur vol fracasse,
4   Craquent comme un pin brûlant.
Leur troupeau lourd et rapide,
Volant dans l'espace vide,
Semble un nuage livide
8   Qui porte un éclair au flanc.

Ils sont tout près ! — Tenons fermée
Cette salle où nous les narguons.
Quel bruit dehors !   Hideuse armée
12   De vampires et de dragons !
La poutre du toit descellée
Ploie ainsi qu'une herbe mouillée,
Et la vieille porte rouillée
16   Tremble à déraciner ses gonds.

Cris de l'enfer ! voix qui hurle et qui pleure !
L'horrible essaim, poussé par l'aquilon,
Sans doute, ô ciel ! s'abat sur ma demeure.
20   Le mur fléchit sous le noir bataillon.
La maison crie et chancelle penchée,
Et l'on dirait que, du sol arrachée,
Ainsi qu'il chasse une feuille séchée,
24   Le vent la roule avec leur tourbillon !

Prophète ! si ta main me sauve
De ces impurs démons des soirs,
J'irai prosterner mon front chauve
28   Devant tes sacrés encensoirs !

Fais que sur ces portes fidèles,
Meure leur souffle d'étincelles,
Et qu'en vain l'ongle de leurs ailes
4   Grince et crie à ces vitraux noirs !

Ils sont passés ! — Leur cohorte
S'envole et fuit, et leurs pieds
Cessent de battre ma porte
8   De leurs coups multipliés.
L'air est plein d'un bruit de chaînes,
Et dans les forêts prochaines
Frissonnent tous les grands chênes,
12   Sous leur vol de feu pliés !

De leurs ailes lointaines
Le battement décroît,
Si confus dans les plaines,
16   Si faible, que l'on croit
Ouïr la sauterelle
Crier d'une voix grêle,
Ou petiller la grêle
20   Sur le plomb d'un vieux toit.

D'étranges syllabes
Nous viennent encor :
Ainsi, des Arabes
24   Quand sonne le cor,
Un chant sur la grève
Par instants s'élève,
Et l'enfant qui rêve
28   Fait des rêves d'or.

Les Djinns funèbres,
Fils du trépas,
Dans les ténèbres
Pressent leurs pas ;
Leur essaim gronde :
Ainsi, profonde,
Murmure une onde
Qu'on ne voit pas.

Ce bruit vague
Qui s'endort,
C'est la vague
Sur le bord ;
C'est la plainte
Presque éteinte
D'une sainte
Pour un mort.

On doute
La nuit . . .
J'écoute : —
Tout fuit,
Tout passe ;
L'espace
Efface
Le bruit.

LES ORIENTALES.   28 août 1828.

3.

EXTASE.

Et j'entendis une grande voix. — Apocalypse.

J'ÉTAIS seul près des flots, par une nuit d'étoiles.
Pas un nuage aux cieux, sur la mer pas de voiles.
Mes yeux plongeaient plus loin que le monde réel.
4   Et les bois, et les monts, et toute la nature,
Semblaient interroger dans un confus murmure
       Les flots des mers, les feux du ciel.

Et les étoiles d'or, légions infinies,
8   A voix haute, à voix basse, avec mille harmonies,
Disaient, en inclinant leurs couronnes de feu ;
Et les flots bleus, que rien ne gouverne et n'arrête,
Disaient, en recourbant l'écume de leur crête :
12   — C'est le Seigneur, le Seigneur Dieu !

LES ORIENTALES.   25 novembre 1828.

4.

LUI.

J'étais géant alors, et haut de cent coudées. — BONAPARTE.

I.

TOUJOURS lui !   Lui partout ! — Ou brûlante ou glacée,
Son image sans cesse ébranle ma pensée.
Il verse à mon esprit le souffle créateur.
16   Je tremble, et dans ma bouche abondent les paroles

Quand son nom gigantesque, entouré d'auréoles,
Se dresse dans mon vers de toute sa hauteur.

Là, je le vois, guidant l'obus aux bonds rapides,
4 Là, massacrant le peuple au nom des régicides,
Là, soldat, aux tribuns arrachant leurs pouvoirs,
Là, consul jeune et fier, amaigri par des veilles
Que des rêves d'empire emplissaient de merveilles,
8   Pâle sous ses longs cheveux noirs.

Puis, empereur puissant, dont la tête s'incline,
Gouvernant un combat du haut de la colline,
Promettant une étoile à ses soldats joyeux,
12 Faisant signe aux canons qui vomissent des flammes,
De son âme à la guerre armant six cent mille âmes,
Grave et serein, avec un éclair dans les yeux.

Puis, pauvre prisonnier, qu'on raille et qu'on tourmente,
16 Croisant ses bras oisifs sur son sein qui fermente,
En proie aux geôliers vils comme un vil criminel,
Vaincu, chauve, courbant son front noir de nuages,
Promenant sur un roc où passent les orages
20   Sa pensée, orage éternel.

Qu'il est grand, là surtout ! quand, puissance brisée,
Des porte-clefs anglais misérable risée,
Au sacre du malheur il retrempe ses droits,
24 Tient au bruit de ses pas deux mondes en haleine,
Et, mourant de l'exil, gêné dans Sainte-Hélène,
Manque d'air dans la cage où l'exposent les rois !

Qu'il est grand à cette heure où, prêt à voir Dieu même,
Son œil qui s'éteint roule une larme suprême !
Il évoque à sa mort sa vieille armée en deuil,
4 Se plaint à ses guerriers d'expirer solitaire,
Et, prenant pour linceul son manteau militaire,
Du lit de camp passe au cercueil !

II.

A Rome, où du sénat hérite le conclave,
8 A l'Elbe, aux monts blanchis de neige ou noirs de lave,
Au menaçant Kremlin, à l'Alhambra riant,
Il est partout ! — Au Nil je le retrouve encore.
L'Égypte resplendit des feux de son aurore ;
12 Son astre impérial se lève à l'orient.

Vainqueur, enthousiaste, éclatant de prestiges,
Prodige, il étonna la terre des prodiges.
Les vieux scheiks vénéraient l'émir jeune et prudent ;
16 Le peuple redoutait ses armes inouïes ;
Sublime, il apparut aux tribus éblouies
Comme un Mahomet d'Occident.

Leur féerie a déjà réclamé son histoire.
20 La tente de l'Arabe est pleine de sa gloire.
Tout Bédouin libre était son hardi compagnon ;
Les petits enfants, l'œil tourné vers nos rivages,
Sur un tambour français règlent leurs pas sauvages,
24 Et les ardents chevaux hennissent à son nom.

Parfois il vient, porté sur l'ouragan numide,
Prenant pour piédestal la grande pyramide,
Contempler les déserts, sablonneux océans.
4 Là, son ombre, éveillant le sépulcre sonore,
Comme pour la bataille y ressuscite encore
          Les quarante siècles géants.

Il dit : Debout ! Soudain chaque siècle se lève,
8 Ceux-ci portant le sceptre et ceux-là ceints du glaive,
Satrapes, pharaons, mages, peuple glacé ;
Immobiles, poudreux, muets, sa voix les compte ;
Tous semblent, adorant son front qui les surmonte,
12 Faire à ce roi des temps une cour du passé.

Ainsi tout, sous les pas de l'homme ineffaçable,
Tout devient monument ; il passe sur le sable,
Mais qu'importe qu'Assur de ses flots soit couvert,
16 Que l'aquilon sans cesse y fatigue son aile !
Son pied colossal laisse une trace éternelle
          Sur le front mouvant du désert.

III.

Histoire, poésie, il joint du pied vos cimes.
20 Éperdu, je ne puis dans ces mondes sublimes
Remuer rien de grand sans toucher à son nom ;
Oui, quand tu m'apparais, pour le culte ou le blâme,
Les chants volent pressés sur mes lèvres de flamme,
24 Napoléon ! soleil dont je suis le Memnon !

Tu domines notre âge ; ange ou démon, qu'importe?
Ton aigle dans son vol, haletants, nous emporte.
L'œil même qui te fuit te retrouve partout.
4   Toujours dans nos tableaux tu jettes ta grande ombre;
Toujours Napoléon, éblouissant et sombre,
      Sur le seuil du siècle est debout.

Ainsi, quand, du Vésuve explorant le domaine,
8   De Naple à Portici l'étranger se promène,
Lorsqu'il trouble, rêveur, de ses pas importuns
Ischia, de ses fleurs embaumant l'onde heureuse
Dont le bruit, comme un chant de sultane amoureuse,
12 Semble une voix qui vole au milieu des parfums ;

Qu'il hante de Pæstum l'auguste colonnade,
Qu'il écoute à Pouzzol la vive sérénade
Chantant la tarentelle au pied d'un mur toscan ;
16 Qu'il éveille en passant cette cité momie,
Pompéi, corps gisant d'une ville endormie,
      Saisie un jour par le volcan ;

Qu'il erre au Pausilippe avec la barque agile
20 D'où le brun marinier chante Tasse à Virgile ;
Toujours, sous l'arbre vert, sur les lits de gazon,
Toujours il voit, du sein des mers et des prairies,
Du haut des caps, du bord des presqu'îles fleuries,
24 Toujours le noir géant qui fume à l'horizon !

               LES ORIENTALES. Décembre 1828.

5.

LORSQUE L'ENFANT PARAÎT.

Le toit s'égaye et rit.
ANDRÉ CHÉNIER.

LORSQUE l'enfant paraît, le cercle de famille
Applaudit à grands cris.   Son doux regard qui brille
       Fait briller tous les yeux,
4 Et les plus tristes fronts, les plus souillés peut-être,
Se dérident soudain à voir l'enfant paraître,
       Innocent et joyeux.

Soit que juin ait verdi mon seuil, ou que novembre
8 Fasse autour d'un grand feu vacillant dans la chambre
       Les chaises se toucher,
Quand l'enfant vient, la joie arrive et nous éclaire.
On rit, on se récrie, on l'appelle, et sa mère
12   Tremble à le voir marcher.

Quelquefois nous parlons, en remuant la flamme,
De patrie et de Dieu, des poëtes, de l'âme
       Qui s'élève en priant ;
16 L'enfant paraît, adieu le ciel et la patrie
Et les poëtes saints ! la grave causerie
       S'arrête en souriant.

La nuit, quand l'homme dort, quand l'esprit rêve, à l'heure
20 Où l'on entend gémir, comme une voix qui pleure,
       L'onde entre les roseaux,

Si l'aube tout à coup là-bas luit comme un phare,
Sa clarté dans les champs éveille une fanfare
      De cloches et d'oiseaux.

4 Enfant, vous êtes l'aube et mon âme est la plaine
Qui des plus douces fleurs embaume son haleine
      Quand vous la respirez ;
Mon âme est la forêt dont les sombres ramures
8 S'emplissent pour vous seul de suaves murmures
      Et de rayons dorés.

Car vos beaux yeux sont pleins de douceurs infinies,
Car vos petites mains, joyeuses et bénies,
12   N'ont point mal fait encor ;
Jamais vos jeunes pas n'ont touché notre fange,
Tête sacrée ! enfant aux cheveux blonds ! bel ange
      A l'auréole d'or !

16 Vous êtes parmi nous la colombe de l'arche.
Vos pieds tendres et purs n'ont point l'âge où l'on marche
      Vos ailes sont d'azur.
Sans le comprendre encor vous regardez le monde.
20 Double virginité ! corps où rien n'est immonde,
      Ame où rien n'est impur !

Il est si beau, l'enfant, avec son doux sourire,
Sa douce bonne foi, sa voix qui veut tout dire,
24   Ses pleurs vite apaisés,
Laissant errer sa vue étonnée et ravie,
Offrant de toutes parts sa jeune âme à la vie
      Et sa bouche aux baisers !

Seigneur ! préservez-moi, préservez ceux que j'aime,
Frères, parents, amis, et mes ennemis même
Dans le mal triomphants,
4 De jamais voir, Seigneur, l'été sans fleurs vermeilles,
La cage sans oiseaux, la ruche sans abeilles,
La maison sans enfants !

LES FEUILLES D'AUTOMNE. 18 mai 1830.

6.

LE GRAND HOMME VAINCU.

LE grand homme vaincu peut perdre en un instant
8 Sa gloire, son empire, et son trône éclatant,
Et sa couronne qu'on renie,
Tout, jusqu'à ce prestige à sa grandeur mêlé
Qui faisait voir son front dans un ciel étoilé ;
12 Il garde toujours son génie !

Ainsi, quand la bataille enveloppe un drapeau,
Tout ce qui n'est qu'azur, écarlate, oripeau,
Frange d'or, tunique de soie,
16 Tombe sous la mitraille en un moment haché,
Et, lambeau par lambeau, s'en va comme arraché
Par le bec d'un oiseau de proie ;

Et qu'importe ? A travers les cris, les pas, les voix,
20 Et la mêlée en feu qui sur tous à la fois
Fait tourner son horrible meule,

Au plus haut de la hampe, orgueil des bataillons,
Où pendait cette pourpre envolée en haillons,
L'aigle de bronze reste seule !

LES CHANTS DU CRÉPUSCULE. 21 février 1835.

7.

PUISQU'ICI-BAS TOUTE ÂME.

4
PUISQU'ICI-BAS toute âme
Donne à quelqu'un
Sa musique, sa flamme,
Ou son parfum ;

8
Puisqu'ici toute chose
Donne toujours
Son épine ou sa rose
A ses amours ;

12
Puisqu'avril donne aux chênes
Un bruit charmant ;
Que la nuit donne aux peines
L'oubli dormant ;

16
Puisque l'air à la branche
Donne l'oiseau ;
Que l'aube à la pervenche
Donne un peu d'eau ;

20
Puisque, lorsqu'elle arrive
S'y reposer,
L'onde amère à la rive
Donne un baiser ;

Je te donne, à cette heure,
   Penché sur toi,
La chose la meilleure
   Que j'aie en moi !

After meilleur

4

Reçois donc ma pensée,
   Triste d'ailleurs,
Qui, comme une rosée,
   T'arrive en pleurs !

8

Reçois mes vœux sans nombre,
   O mes amours !
Reçois la flamme ou l'ombre
   De tous mes jours !

12

Mes transports pleins d'ivresses,
   Purs de soupçons,
Et toutes les caresses
   De mes chansons !

16

Mon esprit qui sans voile
   Vogue au hasard,
Et qui n'a pour étoile
   Que ton regard !

20

Ma muse, que les heures
   Bercent rêvant,
Qui, pleurant quand tu pleures,
   Pleure souvent !

24

.6

> Reçois, mon bien céleste,
>   O ma beauté,
> Mon cœur, dont rien ne reste,
>   L'amour ôté !

4

LES VOIX INTÉRIEURES.   19 mai 1836.

8.

OCEANO NOX.

Saint-Valery-sur-Somme.

OH ! combien de marins, combien de capitaines
Qui sont partis joyeux pour des courses lointaines,
Dans ce morne horizon se sont évanouis !
8 Combien ont disparu, dure et triste fortune !
Dans une mer sans fond, par une nuit sans lune,
Sous l'aveugle océan à jamais enfouis !

Combien de patrons morts avec leurs équipages !
12 L'ouragan de leur vie a pris toutes les pages,
Et d'un souffle il a tout dispersé sur les flots !
Nul ne saura leur fin dans l'abîme plongée.
Chaque vague en passant d'un butin s'est chargée ;
16 L'une a saisi l'esquif, l'autre les matelots !

Nul ne sait votre sort, pauvres têtes perdues !
Vous roulez à travers les sombres étendues,
Heurtant de vos fronts morts des écueils inconnus.
20 Oh ! que de vieux parents, qui n'avaient plus qu'un rêve,

Sont morts en attendant tous les jours sur la grève
 Ceux qui ne sont pas revenus !

On s'entretient de vous parfois dans les veillées.
4 Maint joyeux cercle, assis sur des ancres rouillées,
Mêle encor quelque temps vos noms d'ombre couverts
Aux rires, aux refrains, aux récits d'aventures,
Aux baisers qu'on dérobe à vos belles futures,
8 Tandis que vous dormez dans les goëmons verts !

On demande : — Où sont-ils ? sont-ils rois dans quelque
 île ?
Nous ont-ils délaissés pour un bord plus fertile ? —
Puis votre souvenir même est enseveli.
12 Le corps se perd dans l'eau, le nom dans la mémoire.
Le temps, qui sur toute ombre en verse une plus noire,
Sur le sombre océan jette le sombre oubli.

Bientôt des yeux de tous votre ombre est disparue.
16 L'un n'a-t-il pas sa barque et l'autre sa charrue ?
Seules, durant ces nuits où l'orage est vainqueur,
Vos veuves aux fronts blancs, lasses de vous attendre,
Parlent encor de vous en remuant la cendre
20 De leur foyer et de leur cœur !

Et quand la tombe enfin a fermé leur paupière,
Rien ne sait plus vos noms, pas même une humble pierre
Dans l'étroit cimetière où l'écho nous répond,
24 Pas même un saule vert qui s'effeuille à l'automne,
Pas même la chanson naïve et monotone
Que chante un mendiant à l'angle d'un vieux pont !

Où sont-ils, les marins sombrés dans les nuits noires?
O flots, que vous savez de lugubres histoires !
Flots profonds, redoutés des mères à genoux !
4 Vous vous les racontez en montant les marées,
Et c'est ce qui vous fait ces voix désespérées
Que vous avez le soir quand vous venez vers nous !

LES RAYONS ET LES OMBRES. Juillet 1836.

9.

LA TOMBE DIT A LA ROSE.

LA tombe dit à la rose :
8　— Des pleurs dont l'aube t'arrose
Que fais-tu, fleur des amours?
La rose dit à la tombe :
— Que fais-tu de ce qui tombe
12　Dans ton gouffre ouvert toujours?

La rose dit : — Tombeau sombre,
De ces pleurs je fais dans l'ombre
Un parfum d'ambre et de miel.
16　La tombe dit : — Fleur plaintive,
De chaque âme qui m'arrive
Je fais un ange du ciel.

LES VOIX INTÉRIEURES. 3 juin 1837.

10.

MATELOTS! MATELOTS!

Matelots! matelots! vous déploierez les voiles;
Vous voguerez, joyeux parfois, mornes souvent;
Et vous regarderez aux lueurs des étoiles
4 La rive, écueil ou port, selon le coup de vent.

Envieux, vous mordrez la base des statues.
Oiseaux, vous chanterez; vous verdirez, rameaux.
Portes, vous croulerez de lierre revêtues.
8 Cloches, vous ferez vivre et rêver les hameaux.

Teignant votre nature aux mœurs de tous les hommes,
Voyageurs, vous irez comme d'errants flambeaux;
Vous marcherez pensifs sur la terre où nous sommes,
12 En vous ressouvenant quelquefois des tombeaux.

Chênes, vous grandirez au fond des solitudes.
Dans les lointains brumeux, à la clarté des soirs,
Vieux saules, vous prendrez de tristes attitudes,
16 Et vous vous mirerez vaguement aux lavoirs.

Nids, vous tressaillerez sentant croître des ailes;
Sillons, vous frémirez sentant sourdre le blé.
Torches, vous jetterez de rouges étincelles
20 Qui tourbillonneront comme un esprit troublé.

Foudres, vous nommerez le Dieu que la mer nomme.
Ruisseaux, vous nourrirez la fleur qu'avril dora;

Vos flots reflèteront l'ombre austère de l'homme,
Et vos flots couleront, et l'homme passera.

Chaque chose et chacun, âme, être, objet ou **nombre,**
4 Suivra son cours, sa loi, son but, sa passion,
Portant sa pierre à l'œuvre indéfinie et **sombre**
Qu'avec le genre humain fait la création.

Moi, je contemplerai le Dieu père du monde,
8 Qui livre à notre soif, dans l'ombre ou la clarté,
Le ciel, cette grande urne, adorable et profonde,
Où l'on puise le calme et la sérénité !

LES RAYONS ET LES OMBRES.   5 mai 1839.

11.

ELLE AVAIT PRIS CE PLI.

ELLE avait pris ce pli dans son âge enfantin
12 De venir dans ma chambre un peu chaque matin.
Je l'attendais ainsi qu'un rayon qu'on espère ;
Elle entrait, et disait : Bonjour, mon petit père !
Prenait ma plume, ouvrait mes livres, s'asseyait
16 Sur mon lit, dérangeait mes papiers, et riait,
Puis soudain s'en allait comme un oiseau qui passe.
Alors, je reprenais, la tête un peu moins lasse,
Mon œuvre interrompue, et, tout en écrivant,
20 Parmi mes manuscrits je rencontrais souvent
Quelque arabesque folle et qu'elle avait tracée,
Et mainte page blanche entre ses mains froissée,

Où, je ne sais comment, venaient mes plus doux vers.
Elle aimait Dieu, les fleurs, les astres, les prés verts,
Et c'était un esprit avant d'être une femme.
4   Son regard reflétait la clarté de son âme.
Elle me consultait sur tout à tous moments.
Oh ! que de soirs d'hiver radieux et charmants,
Passés à raisonner langue, histoire et grammaire,
8   Mes quatre enfants groupés sur mes genoux, leur mère
Tout près, quelques amis causant au coin du feu !
J'appelais cette vie être content de peu !
Et dire qu'elle est morte ! Hélas ! que Dieu m'assiste !
12 Je n'étais jamais gai quand je la sentais triste ;
J'étais morne au milieu du bal le plus joyeux
Si j'avais, en partant, vu quelque ombre en ses yeux.

LES CONTEMPLATIONS.   Novembre 1846, jour des morts.

12.

SAISON DES SEMAILLES. LE SOIR.

C'EST le moment crépusculaire.
16   J'admire, assis sous un portail,
Ce reste de jour dont s'éclaire
La dernière heure du travail.

Dans les terres, de nuit baignées,
20   Je contemple, ému, les haillons
D'un vieillard qui jette à poignées
La moisson future aux sillons.

Sa haute silhouette noire
Domine les profonds labours.
On sent à quel point il doit croire
4   A la fuite utile des jours.

Il marche dans la plaine immense,
Va, vient, lance la graine au loin,
Rouvre sa main, et recommence.
8   Et je médite, obscur témoin,

Pendant que, déployant ses voiles,
L'ombre, où se mêle une rumeur,
Semble élargir jusqu'aux étoiles
12   Le geste auguste du semeur.

LES CHANSONS DES RUES ET DES BOIS.

13.

LE DEUIL.

CHARLE ! Charle ! ô mon fils ! quoi donc ! tu m'as quitté
Ah ! tout fuit ! rien ne dure !
Tu t'es évanoui dans la grande clarté
16   Qui pour nous est obscure.

Charles, mon couchant voit périr ton orient.
Comme nous nous aimâmes !
L'homme, hélas ! crée, et rêve, et lie en souriant
20   Son âme à d'autres âmes ;

Il dit : C'est éternel ! et poursuit son chemin ;
          Il se met à descendre,
Vit, souffre, et tout à coup dans le creux de sa main
4   N'a plus que de la cendre.

Hier j'étais proscrit.   Vingt ans, des mers captif,
          J'errai, l'âme meurtrie ;
Le sort nous frappe, et seul il connaît le motif.
8   Dieu m'ôta la patrie.

Aujourd'hui je n'ai plus de tout ce que j'avais
          Qu'un fils et qu'une fille ;
Me voilà presque seul dans cette ombre où je vais ;
12   Dieu m'ôte la famille.

Oh ! demeurez, vous deux qui me restez ! nos nids
          Tombent, mais votre mère
Vous bénit dans la mort sombre, et je vous bénis,
16   Moi, dans la vie amère.

Oui, pour modèle ayant le martyr de Sion,
          J'achèverai ma lutte,
Et je continuerai la rude ascension
20   Qui ressemble à la chute.

Suivre la vérité me suffit ; sans rien voir
          Que le grand but sublime,
Je marche, en deuil, mais fier ; derrière le devoir
24   Je vais droit à l'abîme.

L'ANNÉE TERRIBLE.   Mars 1871.

14.

UN HYMNE HARMONIEUX.

Un hymne harmonieux sort des feuilles du tremble ;
Les voyageurs craintifs, qui vont la nuit ensemble,
Haussent la voix dans l'ombre où l'on doit se hâter.
4   Laissez tout ce qui tremble
            Chanter.

Les marins fatigués sommeillent sur le gouffre.
La mer bleue où Vésuve épand ses flots de soufre
8 Se tait dès qu'il s'éteint, et cesse de gémir.
         Laissez tout ce qui souffre
            Dormir.

Quand la vie est mauvaise on la rêve meilleure.
12 Les yeux en pleurs au ciel se lèvent à toute heure ;
L'espoir vers Dieu se tourne et Dieu l'entend crier.
         Laissez tout ce qui pleure
            Prier.

16 C'est pour renaître ailleurs qu'ici-bas on succombe.
Tout ce qui tourbillonne appartient à la tombe.
Il faut dans le grand tout tôt ou tard s'absorber.
         Laissez tout ce qui tombe
20   Tomber !

LES QUATRE VENTS DE L'ESPRIT, LE LIVRE LYRIQUE

V.

ALFRED DE MUSSET.

1.

STANCES.

Que j'aime à voir, dans la vallée
      Désolée,
Se lever comme un mausolée
Les quatre ailes d'un noir moutier !
Que j'aime à voir, près de l'austère
      Monastère,
Au seuil du baron feudataire,
La croix blanche et le bénitier !

Vous, des antiques Pyrénées
      Les aînées,
Vieilles églises décharnées,
Maigres et tristes monuments,
Vous que le temps n'a pu dissoudre,
      Ni la foudre,
De quelques grands monts mis en poudre
N'êtes-vous pas les ossements ?

J'aime vos tours à tête grise,
       Où se brise
L'éclair qui passe avec la brise ;
J'aime vos profonds escaliers
Qui, tournoyant dans les entrailles
       Des murailles,
A l'hymne éclatant des ouailles
Font répondre tous les piliers.

Oh ! lorsque l'ouragan qui gagne
       La campagne,
Prend par les cheveux la montagne,
Que le temps d'automne jaunit,
Que j'aime, dans le bois qui crie
       Et se plie,
Les vieux clochers de l'abbaye,
Comme deux arbres de granit !

Que j'aime à voir, dans les vesprées
       Empourprées,
Jaillir en veines diaprées
Les rosaces d'or des couvents !
Oh ! que j'aime aux voûtes gothiques
       Des portiques,
Les vieux saints de pierre athlétiques
Priant tout bas pour les vivants !

                              1828.

2.

LA NUIT DE DÉCEMBRE.

LE POÈTE.

Du temps que j'étais écolier,
Je restais un soir à veiller
Dans notre salle solitaire.
4 Devant ma table vint s'asseoir
Un pauvre enfant vêtu de noir,
Qui me ressemblait comme un frère.

Son visage était triste et beau :
8 A la lueur de mon flambeau,
Dans mon livre ouvert il vint lire.
Il pencha son front sur ma main,
Et resta jusqu'au lendemain,
12 Pensif, avec un doux sourire.

Comme j'allais avoir quinze ans,
Je marchais un jour, à pas lents,
Dans un bois, sur une bruyère.
16 Au pied d'un arbre vint s'asseoir
Un jeune homme vêtu de noir,
Qui me ressemblait comme un frère.

Je lui demandai mon chemin ;
20 Il tenait un luth d'une main,
De l'autre un bouquet d'églantine.
Il me fit un salut d'ami,

Et, se détournant à demi,
Me montra du doigt la colline.

A l'âge où l'on croit à l'amour,
4   J'étais seul dans ma chambre un jour,
Pleurant ma première misère.
Au coin de mon feu vint s'asseoir
Un étranger vêtu de noir,
8   Qui me ressemblait comme un frère.

Il était morne et soucieux ;
D'une main il montrait les cieux,
Et de l'autre il tenait un glaive.
12   De ma peine il semblait souffrir,
Mais il ne poussa qu'un soupir,
Et s'évanouit comme un rêve.

A l'âge où l'on est libertin,
16   Pour boire un toast en un festin,
Un jour je soulevai mon verre.
En face de moi vint s'asseoir
Un convive vêtu de noir,
20   Qui me ressemblait comme un frère.

Il secouait sous son manteau
Un haillon de pourpre en lambeau.
Sur sa tête un myrte stérile,
24   Son bras maigre cherchait le mien,
Et mon verre, en touchant le sien,
Se brisa dans ma main débile.

Un an après, il était nuit,
J'étais à genoux près du lit
Où venait de mourir mon père.
4 Au chevet du lit vint s'asseoir
Un orphelin vêtu de noir,
Qui me ressemblait comme un frère.

Ses yeux étaient noyés de pleurs ;
8 Comme les anges de douleurs,
Il était couronné d'épine ;
Son luth à terre était gisant,
Sa pourpre de couleur de sang,
12 Et son glaive dans sa poitrine.

Je m'en suis si bien souvenu,
Que je l'ai toujours reconnu
A tous les instants de ma vie.
16 C'est une étrange vision ;
Et cependant, ange ou démon,
J'ai vu partout cette ombre amie.

Lorsque plus tard, las de souffrir,
20 Pour renaître ou pour en finir,
J'ai voulu m'exiler de France ;
Lorsqu'impatient de marcher,
J'ai voulu partir, et chercher
24 Les vestiges d'une espérance ;

A Pise, au pied de l'Apennin ;
A Cologne, en face du Rhin ;

A Nice, au penchant des vallées ;
A Florence, au fond des palais ;
A Brigues, dans les vieux chalets ;
4   Au sein des Alpes désolées ;

A Gênes, sous les citronniers ;
A Vevay, sous les verts pommiers ;
Au Havre, devant l'Atlantique ;
8   A Venise, à l'affreux Lido,
Où vient sur l'herbe d'un tombeau
Mourir la pâle Adriatique ;

Partout où, sous ces vastes cieux,
12   J'ai lassé mon cœur et mes yeux,
Saignant d'une éternelle plaie ;
Partout où le boiteux Ennui,
Traînant ma fatigue après lui,
16   M'a promené sur une claie ;

Partout où, sans cesse altéré
De la soif d'un monde ignoré,
J'ai suivi l'ombre de mes songes ;
20   Partout où, sans avoir vécu,
J'ai revu ce que j'avais vu,
La face humaine et ses mensonges ;

Partout où, le long des chemins,
24   J'ai posé mon front dans mes mains
Et sangloté comme une femme ;
Partout où j'ai, comme un mouton

Qui laisse sa laine au buisson,
Senti se dénuer mon âme ;

Partout où j'ai voulu dormir,
Partout où j'ai voulu mourir,
Partout où j'ai touché la terre,
Sur ma route est venu s'asseoir
Un malheureux vêtu de noir,
Qui me ressemblait comme un frère.

Qui donc es-tu, toi que dans cette vie
Je vois toujours sur mon chemin ?
Je ne puis croire, à ta mélancolie,
Que tu sois mon mauvais Destin.
Ton doux sourire a trop de patience,
Tes larmes ont trop de pitié.
En te voyant, j'aime la Providence.
Ta douleur même est sœur de ma souffrance ;
Elle ressemble à l'amitié.

Qui donc es-tu ? — Tu n'es pas mon bon ange ;
Jamais tu ne viens m'avertir.
Tu vois mes maux (c'est une chose étrange !)
Et tu me regardes souffrir.
Depuis vingt ans tu marches dans ma voie,
Et je ne saurais t'appeler.
Qui donc es-tu, si c'est Dieu qui t'envoie ?
Tu me souris sans partager ma joie,
Tu me plains sans me consoler !

Qui donc es-tu, spectre de ma jeunesse,
   Pèlerin que rien n'a lassé?
Dis-moi pourquoi je te trouve sans cesse
4   Assis dans l'ombre où j'ai passé.
Qui donc es-tu, visiteur solitaire,
   Hôte assidu de mes douleurs?
Qu'as-tu donc fait pour me suivre sur terre?
8 Qui donc es-tu, qui donc es-tu, mon frère?
   Qui n'apparais qu'au jour des pleurs?

LA VISION.

   — Ami, notre père est le tien.
   Je ne suis ni l'ange gardien,
12   Ni le mauvais destin des hommes.
   Ceux que j'aime, je ne sais pas
   De quel côté s'en vont leurs pas
   Sur ce peu de fange où nous sommes.

16   Je ne suis ni dieu ni démon,
   Et tu m'as nommé par mon nom
   Quand tu m'as appelé ton frère;
   Où tu vas, j'y serai toujours,
20   Jusques au dernier de tes jours,
   Où j'irai m'asseoir sur ta pierre.

   Le ciel m'a confié ton cœur.
   Quand tu seras dans la douleur,
24   Viens à moi sans inquiétude,

Je te suivrai sur le chemin ;
Mais je ne puis toucher ta main ;
Ami, je suis la Solitude.

Novembre 1835.

3.

CHANSON DE BARBERINE.

4   Beau chevalier qui partez pour la guerre,
          Qu'allez-vous faire
          Si loin d'ici ?
      Voyez-vous pas que la nuit est profonde,
8   Et que le monde
          N'est que souci ?

      Vous qui croyez qu'une amour délaissée
          De la pensée
12   S'enfuit ainsi,
      Hélas ! hélas ! chercheurs de renommée,
          Votre fumée
          S'envole aussi.

16   Beau chevalier qui partez pour la guerre,
          Qu'allez-vous faire
          Si loin de nous ?
      J'en vais pleurer, moi qui me laissais dire
20   Que mon sourire
          Était si doux.

1836.

4.

CHANSON DE FORTUNIO.

Si vous croyez que je vais dire
  Qui j'ose aimer,
Je ne saurais, pour un empire,
4 Vous la nommer.

Nous allons chanter à la ronde,
  Si vous voulez,
Que je l'adore et qu'elle est blonde
8 Comme les blés.

Je fais ce que sa fantaisie
  Veut m'ordonner,
Et je puis, s'il lui faut ma vie,
12 La lui donner.

Du mal qu'une amour ignorée
  Nous fait souffrir,
J'en porte l'âme déchirée
16 Jusqu'à mourir.

Mais j'aime trop pour que je die
  Qui j'ose aimer,
Et je veux mourir pour ma mie
20 Sans la nommer.

       1836.

5.

A UNE FLEUR.

Que me veux-tu, chère fleurette,
Aimable et charmant souvenir?
Demi-morte et demi-coquette,
Jusqu'à moi qui te fait venir?

Sous ce cachet enveloppée,
Tu viens de faire un long chemin.
Qu'as-tu vu? que t'a dit la main
Qui sur le buisson t'a coupée?

N'es-tu qu'une herbe desséchée
Qui vient achever de mourir?
Ou ton sein, prêt à refleurir,
Renferme-t-il une pensée?

Ta fleur, hélas ! a la blancheur
De la désolante innocence ;
Mais de la craintive espérance
Ta feuille porte la couleur.

As-tu pour moi quelque message?
Tu peux parler, je suis discret.
Ta verdure est-elle un secret?
Ton parfum est-il un langage?

S'il en est ainsi, parle bas,
Mystérieuse messagère ;
S'il n'en est rien, ne réponds pas ;
4   Dors sur mon cœur fraîche et légère.

Je connais trop bien cette main,
Pleine de grâce et de caprice,
Qui d'un brin de fil souple et fin
8   A noué ton pâle calice.

Cette main-là, petite fleur,
Ni Phidias ni Praxitèle
N'en auraient pu trouver la sœur
12   Qu'en prenant Vénus pour modèle.

Elle est blanche, elle est douce et belle,
Franche, dit-on, et plus encor ;
A qui saurait s'emparer d'elle
16   Elle peut ouvrir un trésor.

Mais elle est sage, elle est sévère ;
Quelque mal pourrait m'arriver.
Fleurette, craignons sa colère.
20   Ne dis rien, laisse-moi rêver.

                                        1838.

6.

IMPROMPTU.

EN RÉPONSE A CETTE QUESTION QU'EST-CE QUE LA POÉSIE?

CHASSER tout souvenir et fixer la pensée ;
Sur un bel axe d'or la tenir balancée,
Incertaine, inquiète, immobile pourtant ;
4 Éterniser peut-être un rêve d'un instant ;
Aimer le vrai, le beau, chercher leur harmonie ;
Écouter dans son cœur l'écho de son génie ;
Chanter, rire, pleurer, seul, sans but, au hasard ;
8 D'un sourire, d'un mot, d'un soupir, d'un regard
Faire un travail exquis, plein de crainte et de charme,
      Faire une perle d'une larme :
Du poëte ici-bas voilà la passion,
12 Voilà son bien, sa vie et son ambition.

1839.

————

7.

TRISTESSE.

J'AI perdu ma force et ma vie,
Et mes amis et ma gaîté ;
J'ai perdu jusqu'à la fierté
16 Qui faisait croire à mon génie.

Quand j'ai connu la Vérité,
J'ai cru que c'était une amie ;
Quand je l'ai comprise et sentie,
20 J'en étais déjà dégoûté.

Et pourtant elle est éternelle,
Et ceux qui se sont passés d'elle
Ici-bas ont tout ignoré.

4 Dieu parle, il faut qu'on lui réponde.
Le seul bien qui me reste au monde
Est d'avoir quelquefois pleuré.

       BURY, 14 juin 1840.

8.

A M. VICTOR HUGO.

SONNET.

IL faut, dans ce bas monde, aimer beaucoup de choses,
8 Pour savoir, après tout, ce qu'on aime le mieux :
Les bonbons, l'Océan, le jeu, l'azur des cieux,
Les femmes, les chevaux, les lauriers et les roses.

Il faut fouler aux pieds des fleurs à peine écloses ;
12 Il faut beaucoup pleurer, dire beaucoup d'adieux.
Puis le cœur s'aperçoit qu'il est devenu vieux,
Et l'effet qui s'en va nous découvre les causes.

De ces biens passagers que l'on goûte à demi,
16 Le meilleur qui nous reste est un ancien ami.
On se brouille, on se fuit. — Qu'un hasard nous rassemble,

On s'approche, on sourit, la main touche la main,
Et nous nous souvenons que nous marchions ensemble,
20 Que l'âme est immortelle, et qu'hier c'est demain.

       26 avril 1843.

VI.

THÉOPHILE GAUTIER.

1.

PAYSAGE.

>   . . . omnia plenis
>   Rura natant fossis.
>
> P. VIRGILIUS MARO.

Pas une feuille qui bouge,
Pas un seul oiseau chantant,
Au bord de l'horizon rouge
Un éclair intermittent ;

D'un côté rares broussailles,
Sillons à demi noyés,
Pans grisâtres de murailles,
Saules noueux et ployés ;

De l'autre, un champ que termine
Un large fossé plein d'eau,
Une vieille qui chemine
Avec un pesant fardeau,

Et puis la route qui plonge
Dans le flanc des coteaux bleus,
Et comme un ruban s'allonge
En minces plis onduleux.

2.

VOYAGE.

Il me faut du nouveau n'en fût-il plus au monde.

JEAN DE LA FONTAINE.

Jam mens praetrepidans avet vagari,
Jam laeti studio pedes vigescunt.

CATULLE.

Au travers de la vitre blanche
Le soleil rit, et sur les murs
Traçant de grands angles, épanche
Ses rayons splendides et purs :
Par un si beau temps, à la ville
Rester parmi la foule vile !
Je veux voir des sites nouveaux :
Postillons, sellez vos chevaux.

Au sein d'un nuage de poudre,
Par un galop précipité,
Aussi promptement que la foudre
Comme il est doux d'être emporté !
Le sable bruit sous la roue,
Le vent autour de vous se joue ;
Je veux voir des sites nouveaux :
Postillons, pressez vos chevaux.

Les arbres qui bordent la route
Paraissent fuir rapidement,
Leur forme obscure dont l'œil doute
Ne se dessine qu'un moment ;

Le ciel, tel qu'une banderole,
Par-dessus les bois roule et vole ;
Je veux voir des sites nouveaux :
4   Postillons, pressez vos chevaux.

Chaumières, fermes isolées,
Vieux châteaux que flanque une **tour,**
Monts arides, fraîches vallées,
8   Forêts se suivent tour à tour ;
Parfois au milieu d'une brume,
Un ruisseau dont la chute écume ;
Je veux voir des sites nouveaux :
12   Postillons, pressez vos chevaux.

Puis, une hirondelle qui passe,
Rasant la grève au sable d'or,
Puis, semés dans un large espace,
16   Les moutons d'un berger qui dort ;
De grandes perspectives bleues,
Larges et longues de vingt lieues ;
Je veux voir des sites nouveaux :
20   Postillons, pressez vos chevaux.

Une montagne : l'on enraye,
Au bord du rapide penchant
D'un mont dont la hauteur effraye :
24   Les chevaux glissent en marchant,
L'essieu grince, le pavé fume,
Et la roue un instant s'allume ;
Je veux voir des sites nouveaux :
28   Postillons, pressez vos chevaux.

La côte raide est descendue.
Recouverte de sable fin,
La route, à chaque instant perdue,
4   S'étend comme un ruban sans fin.
Que cette plaine est monotone !
On dirait un matin d'automne ;
Je veux voir des sites nouveaux :
8   Postillons, pressez vos chevaux.

Une ville d'un aspect sombre,
Avec ses tours et ses clochers
Qui montent dans les airs, sans nombre,
12   Comme des mâts ou des rochers,
Où mille lumières flamboient
Au sein des ombres qui la noient ;
Je veux voir des sites nouveaux :
16   Postillons, pressez vos chevaux !

Mais ils sont las, et leurs narines,
Rouges de sang, soufflent du feu ;
L'écume inonde leurs poitrines,
20   Il faut nous arrêter un peu.
Halte ! demain, plus vite encore,
Aussitôt que poindra l'aurore,
Postillons, pressez vos chevaux,
24   Je veux voir des sites nouveaux.

3.

LE COIN DU FEU.

Blow, blow, winter's wind.
SHAKSPEARE.

Vente, gelle, gresle, j'ay mon pain cuict.
VILLON.

Around in sympathetic mirth,
Its tricks the kitten tries;
The cricket chirrups in the hearth,
The crackling faggot flies.
GOLDSMITH.

Quam juvat immites ventos audire cubantem.
TIBULLE.

QUE la pluie à déluge au long des toits ruisselle !
Que l'orme du chemin penche, craque et chancelle
Au gré du tourbillon dont il reçoit le choc !
4 Que du haut des glaciers l'avalanche s'écroule !
Que le torrent aboie au fond du gouffre, et roule
Avec ses flots fangeux de lourds quartiers de roc !

Qu'il gèle ! et qu'à grand bruit, sans relâche, la grêle
8 De grains rebondissants fouette la vitre frêle !
Que la bise d'hiver se fatigue à gémir !
Qu'importe ? n'ai-je pas un feu clair dans mon âtre,
Sur mes genoux un chat qui se joue et folâtre,
12 Un livre pour veiller, un fauteuil pour dormir ?

4.

TOMBÉE DU JOUR.

Le jour tombait, une pâle nuée
Du haut du ciel laissait nonchalamment,
Dans l'eau du fleuve à peine remuée,
4   Tremper les plis de son blanc vêtement.

La nuit parut, la nuit morne et sereine,
Portant le deuil de son frère le jour,
Et chaque étoile à son trône de reine,
8   En habits d'or s'en vint faire sa cour.

On entendait pleurer les tourterelles,
Et les enfants rêver dans leurs berceaux ;
C'était dans l'air comme un frôlement d'ailes,
12   Comme le bruit d'invisibles oiseaux.

Le ciel parlait à voix basse à la terre ;
Comme au vieux temps ils parlaient en hébreu,
Et répétaient un acte de mystère ;
16   Je n'y compris qu'un seul mot : c'était Dieu.

1834.

5.

COMPENSATION.

Il naît sous le soleil de nobles créatures
Unissant ici-bas tout ce qu'on peut rêver,
Corps de fer, cœur de flamme, admirables natures.

Dieu semble les produire afin de se prouver ;
Il prend, pour les pétrir, une argile plus douce,
Et souvent passe un siècle à les parachever.

4   Il met, comme un sculpteur, l'empreinte de son pouce
Sur leurs fronts rayonnant de la gloire des cieux,
Et l'ardente auréole en gerbe d'or y pousse.

Ces hommes-là s'en vont, calmes et radieux,
8   Sans quitter un instant leur pose solennelle,
Avec l'œil immobile et le maintien des dieux.

Leur moindre fantaisie est une œuvre éternelle,
Tout cède devant eux ; les sables inconstants
12   Gardent leurs pas empreints, comme un airain fidèle.

Ne leur donnez qu'un jour ou donnez-leur cent ans,
L'orage ou le repos, la palette ou le glaive :
Ils mèneront à bout leurs destins éclatants.

16   Leur existence étrange est le réel du rêve ;
Ils exécuteront votre plan idéal,
Comme un maître savant le croquis d'un élève.

Vos désirs inconnus, sous l'arceau triomphal
20   Dont votre esprit en songe arrondissait la voûte,
Passent assis en croupe au dos de leur cheval.

D'un pied sûr, jusqu'au bout ils ont suivi la route
Où, dès les premiers pas, vous vous êtes assis,
24   N'osant prendre une branche au carrefour du doute.

De ceux-là chaque peuple en compte cinq ou six,
Cinq ou six tout au plus, dans les siècles prospères,
Types toujours vivants dont on fait des récits.

4　　Nature avare, ô toi, si féconde en vipères,
En serpents, en crapauds tout gonflés de venins,
Si prompte à repeupler tes immondes repaires,

Pour tant d'animaux vils, d'idiots et de nains,
8　　Pour tant d'avortements et d'œuvres imparfaites,
Tant de monstres impurs échappés de tes mains,

Nature, tu nous dois encor bien des poëtes !

6.

LES MATELOTS.

Sur l'eau bleue et profonde
12　　Nous allons voyageant,
Environnant le monde
D'un sillage d'argent,
Des îles de la Sonde,
16　　De l'Inde au ciel brûlé,
Jusqu'au pôle gelé. , . .

Les petites étoiles
Montrent de leur doigt d'or,
20　　De quel côté les voiles
Doivent prendre l'essor ;

Sur nos ailes de toiles,
Comme de blancs oiseaux,
Nous effleurons les eaux.

Nous pensons à la terre
Que nous fuyons toujours,
A notre vieille mère,
A nos jeunes amours ;
Mais la vague légère
Avec son doux refrain
Endort notre chagrin.

Le laboureur déchire
Un sol avare et dure ;
L'éperon du navire
Ouvre nos champs d'azur,
Et la mer sait produire,
Sans peine ni travail,
La perle et le corail.

Existence sublime !
Bercés par notre nid,
Nous vivons sur l'abîme
Au sein de l'infini ;
Des flots rasant la cime,
Dans le grand désert bleu
Nous marchons avec Dieu !

1841

7.

PREMIER SOURIRE DU PRINTEMPS.

TANDIS qu'à leurs œuvres perverses
Les hommes courent haletants,
Mars qui rit, malgré les averses,
4 Prépare en secret le printemps.

Pour les petites pâquerettes,
Sournoisement lorsque tout dort,
Il repasse des collerettes
8 Et cisèle des boutons d'or.

Dans le verger et dans la vigne,
Il s'en va, furtif perruquier,
Avec une houppe de cygne,
12 Poudrer à frimas l'amandier.

La nature au lit se repose ;
Lui, descend au jardin désert
Et lace les boutons de rose
16 Dans leur corset de velours vert.

Tout en composant des solfèges,
Qu'aux merles il siffle à mi-voix,
Il sème aux prés les perce-neiges
20 Et les violettes aux bois.

Sur le cresson de la fontaine
Où le cerf boit, l'oreille au guet,

De sa main cachée il égrène
Les grelots d'argent du muguet.

Sous l'herbe, pour que tu la cueilles,
4   Il met la fraise au teint vermeil,
Et te tresse un chapeau de feuilles
Pour te garantir du soleil.

Puis, lorsque sa besogne est faite,
8   Et que son règne va finir,
Au seuil d'avril tournant la tête,
Il dit : " Printemps, tu peux venir ! "

———————

8.

L'AVEUGLE.

Un aveugle au coin d'une borne,
12   Hagard comme au jour un hibou,
Sur son flageolet, d'un air morne,
Tâtonne en se trompant de trou,

Et joue un ancien vaudeville
16   Qu'il fausse imperturbablement ;
Son chien le conduit par la ville,
Spectre diurne à l'œil dormant.

Les jours sur lui passent sans luire ;
20   Sombre, il entend le monde obscur
Et la vie invisible bruire
Comme un torrent derrière un mur !

Dieu sait quelles chimères noires
Hantent cet opaque cerveau !
Et quels illisibles grimoires
4   L'idée écrit en ce caveau !

Ainsi dans les puits de Venise,
Un prisonnier à demi fou,
Pendant sa nuit qui s'éternise,
8   Grave des mots avec un clou.

Mais peut-être aux heures funèbres,
Quand la mort souffle le flambeau,
L'âme habituée aux ténèbres
12   Y verra clair dans le tombeau !

9.

LA SOURCE.

Tout près du lac filtre une source,
Entre deux pierres, dans un coin ;
Allègrement l'eau prend sa course
16   Comme pour s'en aller bien loin.

Elle murmure : Oh ! quelle joie !
Sous la terre il faisait si noir !
Maintenant ma rive verdoie,
20   Le ciel se mire à mon miroir.

Les myosotis aux fleurs bleues
Me disent : Ne m'oubliez pas !
Les libellules de leurs queues
M'égratignent dans leurs ébats ;

A ma coupe l'oiseau s'abreuve ;
Qui sait ? — Après quelques détours
Peut-être deviendrai-je un fleuve
Baignant vallons, rochers et tours.

Je broderai de mon écume
Ponts de pierre, quais de granit,
Emportant le steamer qui fume
A l'Océan où tout finit.

Ainsi la jeune source jase,
Formant cent projets d'avenir ;
Comme l'eau qui bout dans un vase,
Son flot ne peut se contenir ;

Mais le berceau touche à la tombe ;
Le géant futur meurt petit ;
Née à peine, la source tombe
Dans le grand lac qui l'engloutit !

10.

CE QUE DISENT LES HIRONDELLES.

CHANSON D'AUTOMNE.

Déjà plus d'une feuille sèche
Parsème les gazons jaunis ;
Soir et matin, la brise est fraîche,
4   Hélas ! les beaux jours sont finis !

On voit s'ouvrir les fleurs que garde
Le jardin, pour dernier trésor :
Le dahlia met sa cocarde
8   Et le souci sa toque d'or.

La pluie au bassin fait des bulles ;
Les hirondelles sur le toit
Tiennent des conciliabules :
12   Voici l'hiver, voici le froid !

Elles s'assemblent par centaines,
Se concertant pour le départ.
L'une dit " Oh ! que dans Athènes
16   Il fait bon sur le vieux rempart !

" Tous les ans j'y vais et je niche
Aux métopes du Parthénon.
Mon nid bouche dans la corniche
20   Le trou d'un boulet de canon."

L'autre : " J'ai ma petite chambre
A Smyrne, au plafond d'un café.
Les Hadjis comptent leurs grains d'ambre
4   Sur le seuil, d'un rayon chauffé.

" J'entre et je sors, accoutumée
Aux blondes vapeurs des chibouchs,
Et parmi des flots de fumée,
8   Je rase turbans et tarbouchs."

Celle-ci : " J'habite un triglyphe
Au fronton d'un temple, à Balbeck.
Je m'y suspends avec ma griffe
12   Sur mes petits au large bec."

Celle-là : " Voici mon adresse :
Rhodes, palais des chevaliers ;
Chaque hiver, ma tente s'y dresse
16   Au chapiteau des noirs piliers."

La cinquième : " Je ferai halte,
Car l'âge m'alourdit un peu,
Aux blanches terrasses de Malte,
20   Entre l'eau bleue et le ciel bleu."

La sixième : " Qu'on est à l'aise
Au Caire, au haut des minarets !
J'empâte un ornement de glaise,
24   Et mes quartiers d'hiver sont prêts."

" A la seconde cataracte,
Fait la dernière, j'ai mon nid ;

J'en ai noté la place exacte,
Dans le pschent d'un roi de granit."

Toutes : " Demain combien de lieues
4   Auront filé sous notre essaim,
Plaines brunes, pics blancs, mers bleues
Brodant d'écume leur bassin ! "

Avec cris et battements d'ailes,
8   Sur la moulure aux bords étroits,
Ainsi jasent les hirondelles,
Voyant venir la rouille aux bois.

Je comprends tout ce qu'elles disent,
12   Car le poëte est un oiseau ;
Mais, captif, ses élans se brisent
Contre un invisible réseau !

Des ailes ! des ailes ! des ailes !
16   Comme dans le chant de Ruckert,
Pour voler, là-bas avec elles
Au soleil d'or, au printemps vert !

11.

L'ART.

Oui, l'œuvre sort plus belle
20   D'une forme au travail
    Rebelle,
Vers, marbre, onyx, émail.

Point de contraintes fausses !
Mais que pour marcher droit
    Tu chausses,
4 Muse, un cothurne étroit.

Fi du rhythme commode,
Comme un soulier trop grand,
    Du mode
8 Que tout pied quitte et prend !

Statuaire, repousse
L'argile que pétrit
    Le pouce
12 Quand flotte ailleurs l'esprit ;

Lutte avec le carrare,
Avec le paros dur
    Et rare,
16 Gardiens du contour pur ;

Emprunte à Syracuse
Son bronze où fermement
    S'accuse
20 Le trait fier et charmant ;

D'une main délicate
Poursuis dans un filon
    D'agate
24 Le profil d'Apollon.

Peintre, fuis l'aquarelle,
Et fixe la couleur
    Trop frêle
Au four de l'émailleur.

4

Fais les sirènes bleues,
Tordant de cent façons
    Leurs queues,
Les monstres des blasons ;

8

Dans son nimbe trilobe
La Vierge et son Jésus,
    Le globe
Avec la croix dessus.

12

Tout passe. — L'art robuste
Seul a l'éternité.
    Le buste
Survit à la cité.

16

Et la médaille austère
Que trouve un laboureur
    Sous terre
Révèle un empereur.

20

Les dieux eux-mêmes meurent.
Mais les vers souverains
    Demeurent
Plus forts que les airains.

24

Sculpte, lime, cisèle ;
Que ton rêve flottant
    Se scelle
Dans le bloc résistant !

VII.

MISCELLANEOUS POEMS.

1.

LA JEUNE CAPTIVE.

Saint-Lazare.

" L'ÉPI naissant mûrit de la faux respecté ;
Sans crainte du pressoir, le pampre tout l'été
    Boit les doux présents de l'aurore ;
4 Et moi, comme lui belle, et jeune comme lui,
  Quoi que l'heure présente ait de trouble et d'ennui,
    Je ne veux point mourir encore.

" Qu'un stoïque aux yeux secs vole embrasser la mort,
8 Moi je pleure et j'espère ; au noir souffle du nord
    Je plie et relève ma tête.
S'il est des jours amers, il en est de si doux !
Hélas ! quel miel jamais n'a laissé de dégoûts ?
12   Quelle mer n'a point de tempête ?

" L'illusion féconde habite dans mon sein.
D'une prison sur moi les murs pèsent en vain,
    J'ai les ailes de l'espérance :
16 Échappée aux réseaux de l'oiseleur cruel,
  Plus vive, plus heureuse, aux campagnes du ciel,
    Philomèle chante et s'élance.

" Est-ce à moi de mourir ?   Tranquille je m'endors,
Et tranquille je veille, et ma veille aux remords
    Ni mon sommeil ne sont en proie.
4 Ma bienvenue au jour me rit dans tous les yeux ;
Sur des fronts abattus, mon aspect dans ces lieux
    Ranime presque de la joie.

" Mon beau voyage encore est si loin de sa fin !
8 Je pars, et des ormeaux qui bordent le chemin
    J'ai passé les premiers à peine.
Au banquet de la vie à peine commencé,
Un instant seulement mes lèvres ont pressé
12   La coupe en mes mains encor pleine.

" Je ne suis qu'au printemps, je veux voir la moisson ;
Et comme le soleil, de saison en saison,
    Je veux achever mon année.
16 Brillante sur ma tige et l'honneur du jardin,
Je n'ai vu luire encor que les feux du matin,
    Je veux achever ma journée.

" O mort ! tu peux attendre ; éloigne, éloigne-toi ;
20 Va consoler les cœurs que la honte, l'effroi,
    Le pâle désespoir dévore.
Pour moi Palès encore a des asiles verts,
Les Amours des baisers, les Muses des concerts ;
24   Je ne veux point mourir encore."

Ainsi, triste et captif, ma lyre toutefois
S'éveillait, écoutant ces plaintes, cette voix,
    Ces vœux d'une jeune captive ;

Et secouant le faix de mes jours languissants,
Aux douces lois des vers je pliais les accents
    De sa bouche aimable et naïve.

4 Ces chants, de ma prison témoins harmonieux,
Feront à quelque amant des loisirs studieux
    Chercher quelle fut cette belle :
La grâce décorait son front et ses discours,
8 Et, comme elle, craindront de voir finir leurs jours
    Ceux qui les passeront près d'elle.

ANDRÉ CHÉNIER, 1794

2.

LA FEUILLE.

DE ta tige détachée,
Pauvre feuille desséchée,
Où vas-tu ? — Je n'en sais rien.
12 L'orage a brisé le chêne
Qui seul était mon soutien.
De son inconstante haleine
16 Le zéphyr ou l'aquilon
Depuis ce jour me promène
De la forêt à la plaine,
De la montagne au vallon.
20 Je vais où le vent me mène,
Sans me plaindre ou m'effrayer ;
Je vais où va toute chose,
Où va la feuille de rose
24 Et la feuille de laurier.

ARNAULT.

3.

SOUVENIR DU PAYS DE FRANCE.

ROMANCE.

COMBIEN j'ai douce souvenance
Du joli lieu de ma naissance !
Ma sœur, qu'ils étaient beaux les jours
    De France !
4   O mon pays, sois mes amours
    Toujours !

Te souvient-il que notre mère,
8   Au foyer de notre chaumière,
Nous pressait sur son cœur joyeux,
    Ma chère?
Et nous baisions ses blancs cheveux
12   Tous deux.

Ma sœur, te souvient-il encore
Du château que baignait la Dore?
Et de cette tant vieille tour
16   Du Maure,
Où l'airain sonnait le retour
    Du jour?

Te souvient-il du lac tranquille
20   Qu'effleurait l'hirondelle agile?
Du vent qui courbait le roseau
    Mobile,
Et du soleil couchant sur l'eau,
24   Si beau?

O ! qui me rendra mon Hélène,
Et ma montagne, et le grand chêne ?
Leur souvenir fait tous les jours
            Ma peine :
Mon pays sera mes amours
            Toujours !

CHATEAUBRIAND.

4.

LE CHIEN DU LOUVRE.

BALLADE.

Paris

PASSANT, que ton front se découvre :
Là, plus d'un brave est endormi.
Des fleurs pour le martyr du Louvre !
Un peu de pain pour son ami !

C'était le jour de la bataille :
Il s'élança sous la mitraille ;
            Son chien suivit.
Le plomb tous deux vint les atteindre ;
Est-ce le maître qu'il faut plaindre ?
            Le chien survit.

Morne, vers le brave il se penche,
L'appelle, et, de sa tête blanche
            Le caressant,
Sur le corps de son frère d'armes
Laisse couler ses grosses larmes
            Avec son sang.

Des morts voici le char qui roule ;
Le chien, respecté par la foule,
  A pris son rang,
4 L'œil abattu, l'oreille basse,
En tête du convoi qui passe,
  Comme un parent.

Au bord de la fosse avec peine,
8 Blessé de juillet, il se traîne
  Tout en boitant ;
Et la gloire y jette son maître,
Sans le nommer, sans le connaître ;
12 Ils étaient tant !

Gardien du tertre funéraire,
Nul plaisir ne le peut distraire
  De son ennui ;
16 Et fuyant la main qui l'attire,
Avec tristesse il semble dire :
  " Ce n'est pas lui."

Quand sur ces touffes d'immortelles
20 Brillent d'humides étincelles
  Au point du jour,
Son œil se ranime, il se dresse,
Pour que son maître le caresse
24 A son retour.

Au vent des nuits, quand la couronne
Sur la croix du tombeau frissonne,
  Perdant l'espoir,

Il veut que son maître l'entende ;
Il gronde, il pleure, et lui demande
          L'adieu du soir.

4   Si la neige, avec violence,
De ses flocons couvre en silence
          Le lit de mort,
Il pousse un cri lugubre et tendre,
8   Et s'y couche pour le défendre
          Des vents du nord.

Avant de fermer la paupière,
Il fait, pour relever la pierre,
12   Un vain effort.
Puis il se dit comme la veille :
" Il m'appellera s'il s'éveille."
          Puis il s'endort.

16   La nuit, il rêve barricade :
Son maître est sous la fusillade
          Couvert de sang ;
Il l'entend qui siffle dans l'ombre,
20   Se lève et saute après son ombre
          En gémissant.

C'est là qu'il attend d'heure en heure,
Qu'il aime, qu'il souffre, qu'il pleure,
          Et qu'il mourra.
24   Quel fut son nom ?   C'est un mystère :
Jamais la voix qui lui fut chère
          Ne le dira.

Passant, que ton front se découvre :
Là, plus d'un brave est endormi.
Des fleurs pour le martyr du Louvre !
4   Un peu de pain pour son ami !

CASIMIR DELAVIGNE.

5.

LA BARQUE.

. . . Frale barca,
Mi trovo in alto mar senza governo.
PETRARCA, s. 88.

MON œil rêveur suit la barque lointaine
Qui vient à moi, faible jouet des flots ;
J'aime à la voir déposer sur l'arène
8   D'adroits pêcheurs, de joyeux matelots.
Mais à ma voix nulle voix qui réponde !
La barque est vide, et je n'ose approcher.
Nacelle vagabonde,
12   A la merci de l'onde,
Pourquoi voguer sans rame et sans nocher ?

La mer paisible et le ciel sans nuage
Sont embellis des feux du jour naissant ;
16   Mais dans la nuit grondait un noir orage ;
L'air était sombre et le flot menaçant ! . . .
Quand l'espérance, en promesses féconde,
Ouvrit l'anneau qui t'enchaîne au rocher,

> Nacelle vagabonde,
> A la merci de l'onde,
> Pourquoi voguer sans rame et sans nocher?

4   Oui, ton retour cache un triste mystère !
    D'un poids secret il oppresse mon cœur.
    Sur cette plage, errante et solitaire,
    J'ai vu pleurer la femme du pêcheur !
8   Es-tu l'objet de sa douleur profonde?
    Ses longs regards allaient-ils te chercher?
>   Nacelle vagabonde,
>   A la merci de l'onde,
12 Pourquoi voguer sans rame et sans nocher?

MADAME TASTU

6.

SOUVENIRS D'UN VIEUX MILITAIRE.

Te souviens-tu, disait un capitaine
Au vétéran qui mendiait son pain,
Te souviens-tu qu'autrefois dans la plaine
16 Tu détournas un sabre de mon sein?
    Sous les drapeaux d'une mère chérie,
    Tous deux jadis nous avons combattu ;
    Je m'en souviens, car je te dois la vie :
20 Mais, toi, soldat, dis-moi, *t'en souviens-tu ?*

Te souviens-tu de ces jours trop rapides,
Où le Français acquit tant de renom?

Te souviens-tu que sur les Pyramides,
Chacun de nous osa graver son nom?
Malgré les vents, malgré la terre et l'onde,
4   On vit flotter, après l'avoir vaincu,
Notre étendard sur le berceau du monde :
Dis-moi, soldat, dis-moi, *t'en souviens-tu ?*

Te souviens-tu que les preux d'Italie
8   Ont vainement combattu contre nous?
Te souviens-tu que les preux d'Ibérie
Devant nos chefs ont plié les genoux?
Te souviens-tu qu'aux champs de l'Allemagne
12   Nos bataillons, arrivant impromptu,
En quatre jours ont fait une campagne :
Dis-moi, soldat, dis-moi, *t'en souviens-tu ?*

Te souviens-tu de ces plaines glacées
16   Où le Français, abordant en vainqueur,
Vit sur son front les neiges amassées
Glacer son corps sans refroidir son cœur?
Souvent alors au milieu des alarmes,
20   Nos pleurs coulaient, mais notre œil abattu
Brillait encor lorsqu'on volait aux armes :
Dis-moi, soldat, dis-moi, *t'en souviens-tu ?*

Te souviens-tu qu'un jour notre patrie
24   Vivante encor descendit au cercueil,
Et que l'on vit, dans Lutèce flétrie
Des étrangers marcher avec orgueil?

Grave en ton cœur ce jour pour le maudire,
Et quand Bellone enfin aura paru,
Qu'un chef jamais n'ait besoin de te dire :
4   Dis-moi, soldat, dis-moi, *t'en souviens-tu ?*

Te souviens-tu . . . Mais ici ma voix tremble,
Car je n'ai plus de noble souvenir ;
Viens-t'en l'ami, nous pleurerons ensemble
8   En attendant un meilleur avenir.
Mais si la mort, planant sur ma chaumière,
Me rappelait au repos qui m'est dû,
Tu fermeras doucement ma paupière,
12   En me disant : Soldat, *t'en souviens-tu ?*

ÉMILE DEBRAUX.

7.

MA NORMANDIE.

QUAND tout renaît à l'espérance,
Et que l'hiver fuit loin de nous ;
Sous le beau ciel de notre France,
16   Quand le soleil revient plus doux ;
Quand la nature est reverdie,
Quand l'hirondelle est de retour,
J'aime à revoir ma Normandie ;
20   C'est le pays qui m'a donné le jour.

J'ai vu les champs de l'Helvétie,
Et ses châlets et ses glaciers ;
J'ai vu le ciel de l'Italie,
24   Et Venise et ses gondoliers.

En saluant chaque patrie,
Je me disais : " Aucun séjour
N'est plus beau que ma Normandie ;
4   C'est le pays qui m'a donné le jour."

Il est un âge dans la vie
Où chaque rêve doit finir,
Un âge où l'âme recueillie
8   A besoin de se souvenir.
Lorsque ma muse refroidie
Aura fini ses chants d'amour,
J'irai revoir ma Normandie ;
12   C'est le pays qui m'a donné le jour.

FRÉDÉRIC BÉRAT.

8.

LE JOUEUR D'ORGUE.

A GAVARD.

Nous montions lentement, et pour longtemps encore ;
Les ombres pâlissaient et pressentaient l'aurore,
Et les astres tombants, humidement versés,
16   Épanchaient le sommeil aux yeux enfin lassés.
Tout dormait : je veillais, et, sous l'humble lumière,
Je voyais cheminer, tout près de la portière,
Un pauvre joueur d'orgue : il nous avait rejoints ;
20   Ne pas cheminer seul, cela fatigue moins.
Courbé sous son fardeau, gagne-pain de misère,
Que surmontait encor la balle nécessaire,

Un bâton à la main, sans un mot de chanson,
Il tirait à pas lents, regardant l'horizon.

" Vie étrange, pensai-je, et quelle destineé !
4 Sous le ciel, nuit et jour, rouler toute l'année !
Jeune, l'idée est belle et ferait tressaillir ;
Mais celui-ci se voûte, et m'a l'air de vieillir.
Que peut-il espérer?   Rien au cœur, pas de joie ;
8 Machinal est le son qu'aux passants il envoie."
Et je continuais dans mon coin à peser
Tous les maux, et, les biens, à les lui refuser.
Et par degrés pourtant blanchissait la lumière ;
12 Son gris sourcil s'armait d'attention plus fière ;
Sa main habituelle à l'orgue se porta :
Qu'attendait-il? . . . Soudain le soleil éclata,
Et l'orgue, au même instant, comme s'il eût pris flamme,
16 Fêta d'un chant l'aurore, et pria comme une âme.

Salut attendrissant, naïf et solennel !
Cet humble cœur comprend les spectacles du ciel.
A l'éternel concert, sous la voûte infinie,
20 Pour sa part il assiste, et rend une harmonie.
Ainsi, Nature aimée, aux simples plus qu'aux grands,
Souvent aux plus chétifs, souvent aux plus errants,
Tu livres sans replis ta splendeur ou ta grâce.
24 L'opulent, l'orgueilleux, a perdu loin ta trace ;
Le petit te retrouve : un beau soir, un couchant,
Quelque écho de refrain sous la lune en marchant ;
Le taillis matinal que le rayon essuie ;
28 Les champs de blés mouvants, rayés d'or et de pluie ;

Un vieux pont, un moulin au tomber d'un flot clair,
Bruits et bonheurs sans nom qu'on respire avec l'air,
Souvent on les sent mieux dans sa route indigente,
4 Et, même sous le faix, l'âme s'éveille et chante.

SAINTE-BEUVE.

9.

LA FERMIÈRE.

ROMANCE.

ÉTRENNES À MADAME G***.

AMOUR à la fermière ! elle est
    Si gentille et si douce !
C'est l'oiseau des bois qui se plaît
8   Loin du bruit dans la mousse.
Vieux vagabond qui tends la main,
    Enfant pauvre et sans mère,
Puissiez-vous trouver en chemin
12   La ferme et la fermière !

De l'escabeau vide au foyer,
    Là, le pauvre s'empare,
Et le grand bahut de noyer
16   Pour lui n'est point avare ;
C'est là qu'un jour je vins m'asseoir,
    Les pieds blancs de poussière ;
Un jour . . . puis en marche ! et bonsoir,
20   La ferme et la fermière !

Mon seul beau jour a dû finir,
    Finir dès son aurore ;
Mais pour moi ce doux souvenir
4   Est du bonheur encore :
En fermant les yeux, je revois
    L'enclos plein de lumière,
La haie en fleur, le petit bois,
8   La ferme et la fermière !

Si Dieu, comme notre curé
    Au prône le répète,
Paie un bienfait (même égaré),
12   Ah ! qu'il songe à ma dette !
Qu'il prodigue au vallon les fleurs,
    La joie à la chaumière,
Et garde des vents et des pleurs
16   La ferme et la fermière !

Chaque hiver, qu'un groupe d'enfants
    A son fuseau sourie,
Comme les anges aux fils blancs
20   De la Vierge Marie ;
Que tous, par la main, pas à pas,
    Guidant un petit frère,
Réjouissent de leurs ébats
24   La ferme et la fermière !

ENVOI.

Ma chansonnette, prends ton vol !
    Tu n'es qu'un faible hommage ;

Mais qu'en avril le rossignol
    Chante, et la dédommage ;
Qu'effrayé par ses chants d'amour,
    L'oiseau du cimetière
Longtemps, longtemps, se taise pour
    La ferme et la fermière !

            HÉGÉSIPPE MOREAU. Janvier 1836.

10.

LE REPOS DU SOIR.

QUAND le soleil se couche horizontal,
De longs rayons noyant la plaine immense,
Comme un blé mûr, le ciel occidental
De pourpre vive et d'or pur se nuance ;
L'ombre est plus grande et la clarté s'éteint
Sur le versant des pentes opposées ;
Enfin le ciel par degré se déteint,
Le jour s'efface en des brumes rosées.

        Reposons-nous,
        Le repos est si doux !
        Que la peine sommeille
        Jusqu'à l'aube vermeille !

Dans le sillon, la charrue au repos
Attend l'aurore et la terre mouillée ;
Bergers, comptez et parquez les troupeaux ;
L'oiseau s'endort dans l'épaisse feuillée.

Gaules en main, bergères aux doux yeux
A l'eau des gués mènent leurs bêtes boire ;
Les laboureurs ont délié les bœufs,
4   Et les chevaux soufflent dans la mangeoire.

Reposons-nous,
Le repos est si doux !
Que la peine sommeille
8   Jusqu'à l'aube vermeille !

Tous les fuseaux s'arrêtent dans les doigts ;
La lampe brille, une blanche fumée
Dans l'air du soir monte de tous les toits ;
12   C'est du repas l'annonce accoutumée :
Les ouvriers, si las quand vient la nuit,
Peuvent partir, enfin la cloche sonne ;
Ils vont gagner leur modeste réduit,
16   Où sur le feu la marmite bouillonne.

Reposons-nous,
Le repos est si doux !
Que la peine sommeille
20   Jusqu'à l'aube vermeille !

La ménagère et les enfants sont là,
Du chef de l'âtre attendant la présence ;
Dès qu'il paraît, un grand cri : " Le voilà ! "
24   S'élève au ciel, comme en réjouissance ;
De bons baisers, la soupe, un doigt de vin,
Rendent la joie à sa figure blême ;

Il peut dormir, ses enfants ont du pain,
Et n'a-t-il pas une femme qui l'aime?

      Reposons-nous,
4   Le repos est si doux !
        Que la peine sommeille
        Jusqu'à l'aube vermeille !

Tous les foyers s'éteignent lentement ;
8 Dans le lointain, une usine qui fume
Pousse de terre un sourd mugissement ;
Les lourds marteaux expirent sur l'enclume.
Ah ! détournons nos âmes du vain bruit
12 Et nos regards du faux éclat des villes ,
Endormons-nous sous l'aile de la nuit
Qui mène en rond ses étoiles tranquilles !

      Reposons-nous,
16   Le repos est si doux !
        Que la peine sommeille
        Jusqu'à l'aube vermeille !

PIERRE DUPONT.

REMARKS ON FRENCH VERSIFICATION.

I. GENERAL STATEMENT.

QUANTITY, as understood in Latin and Greek verse, is not a constituent element in French. French verse is built up on the accentual principle, and depends upon a definite number of syllables. *Rhythm* in French verse means an harmonious succession of accented and unaccented syllables. The last fully pronounced syllable of each line is accented; thus every line of poetry possesses at least one rhythmical accent (independent of the written accent or of any idea of quantity). Longer lines are divided by a caesura into two equal or unequal parts, and the syllable just before this caesura receives a rhythmical accent. Besides these two points (at the end of the line and before the caesura) upon which fixed accents fall, lines of greater length may have one or more movable points of accent, distributed through the line in harmony with the thought. Every syllable thus accented forms, with the unaccented syllables preceding it (or if there are none, by itself alone), a so-called rhythmical element. The rhythmical elements which make up a line may be equal or unequal in extent (that is, in the number of syllables they contain); the latter is the rule. Successive lines usually differ in rhythmical structure.

II. SYLLABLES.

1. IN a line of French poetry the silent syllables, or those containing mute e, which in prose are usually slighted, have in general their full value. Thus **gloire, armes** (p. 1, l. 9), **notre** (p. 3, l. 17) count as two syllables; **féroces** (p. 1, l. 6), **abreuve** (p. 1, l. 10), **Déchirent** (p. 3, l. 8) count as three; and **République** (p. 4, l. 15) counts as four.

2. But a final mute **e** is elided before an initial vowel (or silent **h**) of a following word; thus **gloire est** (p. 1, l. 2) counts as two syllables. —— And a mute syllable at the end of a line does not count in the enumeration of syllables; thus **et notre gloire** (p. 3, l. 17) forms the last half of an eight-syllabled line. —— And further, in the body of a line, a final mute **e** unsupported by a consonant cannot count as a syllable. Thus words like **voie, monnaie,** are only admitted into the body of a line before an initial vowel or silent **h**, where the **e** is elided. —— Again a mute **e** unsupported by a consonant and not final, is suppressed entirely; that is, **avouerai** counts as three syllables, and is also written **avoûrai**: cf. also p. 2, l. 13: **ploîraient** for **ploieraient.** —— Such combinations as **voies, journées, louent** are usually kept out of the body of the line.

3. Terminations in -**aient** of the imperfect and conditional tenses and the words **aient** and **soient** are admitted freely as monosyllables. Terms like **voient** (p. 3, l. 17) may also be used as monosyllables.

4. Vowel combinations count in general as two syllables if they represent double vowels of the Latin, as **na-ti-on** (Latin *nationem*), or if they arise by the dropping of an intermediate consonant, as **men-di-er** (Latin *mendicare*). Vowel combinations count in general as one syllable when they correspond to a single vowel in Latin, as **fier** (p. 2, l. 11), **bien,** from Latin *ferum, bene.* **Ay** is always dissyllabic, as **pays** (=**pai-is**), p. 11, l. 15.

III. RHYME.

1. RHYME is a first essential of French verse. There can be no French verse without rhyme. Blank verse is practically impossible in French. The French rhyme has been called by Sainte-Beuve *l'unique harmonie du vers* (a statement, however, which is an exaggeration).

2. Rhyme is either 'masculine' or 'feminine.' (1) Masculine rhyme exists between words which end in a fully pronounced syllable; thus, **arrivé: levé, vengeurs: défenseurs.** (2) Feminine rhyme exists between words which end in a mute syllable; thus, **esclaves: entraves, tremblent: rassemblent.** These names are given because of the mute **e** in question, which is commonly the mark of feminine forms.

3. Masculine and feminine rhymes must always alternate. This principle allows much variety. The alternation may be line by line (cf. p. 1, l. 1–4), couplet by couplet, one couplet within another (cf. p. 1, l. 5–8), etc. But the rhymes must be so intermingled that two different masculine or two different feminine rhymes shall not appear in immediate succession. Before the seventeenth century this rule was not strictly enforced, and exceptions to it are met with in Modern French ; cf. *La Carmagnole*, p. 10.

4. Rhyme, while appealing to the ear, must also to a certain extent appeal to the eye ; there must be a certain correspondence of written form. Thus such combinations as **clou** and **vous**, **abri** and **nid**, **ai** and **nez**, **bleu** and **peux** are not allowed to rhyme. But words ending in the different sibilants, as **nœuds** : **vœux** (p. 6, l. 18, 20), or in dentals, as **répond** : **pont**, etc., may rhyme together. And words of like form but different meaning rhyme perfectly together, as **pas** (step) and **pas** (not), **la tombe** and **il tombe**. Cf. the English, where the same thing is not allowed.

5. 'Sufficient rhyme' (*rime suffisante*) exists when different consonants precede the rhyming terminations, as **son** : **canon**. 'Rich rhyme' (*rime riche*) arises when entire syllables with their initial consonants rhyme together, as **humain** : **main**. Rhymes which extend back over more than one syllable are called *doubles* or *surabondantes*. *Rimes plates* are consecutive rhymes, the first two lines masculine, the next two feminine, and so on. *Rimes croisées* are alternate rhymes, the first and third masculine, the second and fourth feminine. *Rimes mêlées* are mixed or irregular rhymes, observing only the general principle of alternation between masculines and feminines.

IV. POETIC FORMS.—HIATUS.

SOME words have special forms which are allowable in verse beside the ordinary one: thus **encor** beside **encore**, **Charle** beside **Charles** (p. 88, l. 13, 17), etc. This freedom helps in making up the required number of syllables. The first person singular of a verb may be used in rhyme without its final **s**, as in **je voi**, **je vien**, **je croi**. In the present subjunctive of **dire** the form **die** (p. 100, l. 17) may be used for **dise**.

IC.

Modern French poetry proscribes hiatus. By virtue of this rule expressions like the following are excluded from verse: **il y a, si elle, tu es, tu as, tu auras, tu aimes.** This tends to restrict the use of **tu** and **toi**, as compared with *thou* and *thee* in English poetry.

V. VARIETIES OF VERSE.

A LINE of French poetry may be made up of any number of syllables from one to thirteen, but those of one, nine, eleven and thirteen syllables are little used. The characteristics of varied verse structure may be seen in Victor Hugo's poem: *Les Djinns*, p. 67. The eight-syllabled line, either by itself or in combination with lines of four or six syllables, is a very common lyric metre. In Modern French it is employed exclusively in lyric poetry In lines of more than eight syllables a caesura or pause is required at a given syllable of the line. The ten-syllabled line with caesura at the fourth syllable (the early epic French line), is well adapted to lyric poetry (often in connection with lines of eight syllables) ; vid. p. 35 : *Mon Habit.* The same line with a pause at the fifth syllable is also lyric. The line of twelve syllables, or Alexandrine,* while belonging preëminently to dramatic verse, is also admitted into sonnets and most other forms of lyric poetry, often in quatrains or in combination with shorter lines.

---

* The Alexandrine line has two distinct forms : the classic and the romantic. The former, whose laws were formulated by Boileau (1636-1711), is divided by an obligatory caesura after the sixth syllable into two equal parts, which in turn consist of two rhythmic elements each, so that the whole line is composed of four stress-groups of varying lengths. The sense must not be carried over from one line into the next (*enjambement*), or if it is, it must fill out the entire line. The romantic Alexandrine (so called because the Romanticists of the present century advocated its use) arose from a weakening of the accent of the hemistich and a corresponding disregard of the caesura. It combines the second and third stress-groups into one, and thus consists of but three rhythmic elements, each composed of a varying number of syllables. *Enjambement* or overflow is freely indulged in.

The name Alexandrine comes from a celebrated poem of the earlier language (twelfth century) on Alexander the Great, which was written in twelve-syllabled verse (though not the first one written in such verse).

NOTES.

OBSERVATION. — The Latin accusative is in general the case which has served as the type for the modern French word. In the following notes that form is commonly given in referring to the etymology of nouns or adjectives. An asterisk prefixed to a word indicates that the form is non-classical Latin. The sign > indicates : *whence ; i. e.,* from which is derived.

I. NATIONAL AND REVOLUTIONARY SONGS.

Page 1. LA MARSEILLAISE. — *La Marseillaise* is distinctively the *Chant national,* or national anthem of France. It was composed by Claude-Joseph Rouget de Lis'e (1760–1836). The circumstances of its composition are the following : The year 1792 saw the development of a hostile coalition against France on the part of foreign powers. Austria, Prussia, and Spain were threatening to send armies into France to put down the Revolution and restore Louis XVI. to his former rights. In April of this year war was declared by France against Austria, which was foremost in the coalition. After the news of this declaration had reached Strasbourg (then a part of France), the patriotic mayor of that town, Dietrich, had united around his table (April 24) the volunteers who were preparing for departure. Among the guests was a young officer of engineers named Rouget de Lisle. A wish having been expressed by the mayor that some war-song might be composed without delay, which should serve as a fresh inspiration to the soldiers and replace worn-out refrains, Rouget retired, during the ensuing evening, to his room, took his violin and composed both words and music of the hymn which has immortalized his name. The following day he sang before the mayor his *Chant de guerre.* It was immediately published at Strasbourg under the title,

Chant de guerre de l'armée du Rhin, and as early as the following Sunday (April 29) was played at the *Place d'armes* by the musicians of the national guard.

It was first sung at Marseille, on the occasion of a banquet on June 25 of the same year, and was reproduced the next day under the title, *Chant de guerre aux armées des frontières*. Copies of the song were distributed among the volunteers from Marseille who were setting out for Paris. It was by these *Marseillais* that the hymn of Rouget de Lisle was first sung in Paris, on their entrance to that city July 30, 1792 (and again at the attack of the Tuileries on Aug. 10). From this time it began to become popular at Paris, and was called *Chant des Marseillais*, and finally *la Marseillaise*.

As composed by Rouget de Lisle *la Marseillaise* contained but six stanzas. The seventh, called *la strophe des enfants*, was added later in the same year, and was due to the poet Louis Dubois. Additional stanzas to the number of twenty were introduced during the Revolution, but disappeared with the circumstances which inspired them.

Rouget de Lisle is also the author of other patriotic poems (one is given on p. 15), most of which are much inferior to *la Marseillaise*. He published in 1799 some collections of *Romances*, and is the composer of fifty different airs (pub. 1825) to words by various authors.

In singing *la Marseillaise* the fourth line of each stanza, as also the *Marchons* of the refrain, is repeated.

Line 6: **Mugir** (Latin *mugire*), a severe word here which can hardly be rendered literally. Its primary meaning is *to bellow, low* (of oxen); is then used of the human voice when forced in an excessive manner; here *the roar of*.

Line 8: **Égorger**, *to butcher*, lit. *to cut the throat of*, a derivative of *gorge* (cf. the English word). —— **compagnes**, means *female companions, wives*. The masc. word is *compagnon*. The basis of these forms is found in the Latin words *cum* and *panis*, suggesting the meaning of one who eats bread with another.

Line 10: **abreuve**, subj. used in an optative or imperative sense: *let an impure blood drench our furrows*. *Abreuver* means primarily to water (animals), to give to drink. The Latin words *ad* and *bibere* (to drink) are the basis of the word.

Page 2, l. 4: **transports**, *violent passion*.

Line 5: ose. The verb *oser* comes from Latin *ausare, a deriv. of *ausum* supine of *audere* (to dare). For Latin *au* > French *o*, cf. *causam* > *chose*, *aurum* > *or* (gold).

Line 6: esclavage, a deriv. of *esclave* (p. 1, l. 11), which is identical with the English word *slave*. Regarding the initial *e*, cf. English *special* and *especial*, *spy* and *espy*.

Line 9: Feraient, used, like the following conditionals, to express irony, surprise. —— **foyers·** *Foyer* means first a *fireplace, hearth*; then by extension *fireside, house, home*, and in the plur., *native land*. It has also the meanings: *focus* (the Latin word *focus* serves as a basis for a later form *focarium, which then develops into *foyer*), *centre*, and in theatrical language, *lobby*.

Line 11: Terrasseraient. The verb *terrasser* is formed from the noun *terrasse* (English *terrace*). It means *jeter par terre*, so *overthrow, dismay*.

Line 18: partis; *le parti* is to be carefully distinguished from *la partie*.

Page 3, line 6: Bouillé (1739–1800), one of the ablest generals of the time, and a devoted royalist. He aided Louis XVI. in his plan of escape from Paris and France (in 1791), which terminated fatally at Varennes, near the northeastern frontier.

Line 11: Conduis, imperative of *conduire* (to lead, conduct) from Latin *conducere* = English *conduce*; cf. English *conduct*.

Line 14: drapeaux, an example of words which in the course of their history depart widely from their primitive meaning, or drop one meaning to take on another. *Drapeau* is strictly a dim. of *drap* (cloth), and meant originally *pièce de drap*.

Page 4. LE CHANT DU DÉPART. — Marie-Joseph de Chénier, the author of this poem, was born at Constantinople in 1764, and educated at Paris, where he died in 1811. He was a younger brother of the brilliant poet André de Chénier, and himself a popular writer. He early became known by a series of tragedies, among which *Charles IX.* (1789) may be mentioned. Together with some epistles and satires, he composed a number of revolutionary songs, of which *le Chant du départ* is the most celebrated. It was written in 1794 for the anniversary of the taking of the Bastille (July 14), and was set to music by Méhul. Its appearance produced an immediate impression, it grew at once into popular favor, and was raised forthwith to the rank of a second *Marseillaise*. It is considered, after Rouget de Lisle's celebrated poem, the best patriotic song of the period.

Lines 17, 18: doit, *must, should, is (expected) to*.

Page 5, l. 2: lâches. The word *lâche* (from Latin *laxum*) is the same as English *lax*, but has often a much severer meaning, that of *cowardly*, and then *mean, dastardly*.

Line 3. devons; cf. *doit* above, p. 4, l. 17.

Line 4: verser, from Latin *versare ;* the primary idea is *to turn* (cf. the English derivatives *adverse, transverse*, etc.), then *to turn over, upside down, out*, and so *to pour out*, and here *to shed*.

Line 10: fer, from Latin *ferrum* (cf. English *ferric*, etc.) ; means lit. *iron*, and then in poetic language is synonymous with *épée, poignard*. Other terms belonging to the vocabulary of poetic words are, in the present selections: *époux* (for *mari*), *épouse* (for *femme*), *flamme* (for *amour*), *flanc* (for *sein*), *onde* (for *eau*), *trépas* (for *mort*).

Line 14: chaumière, is a cottage covered with *chaume* (thatch), a *thatched house, cottage-home*.

Line 19: Barra (1780–1793), a French boy enlisted in the Republican troops at the age of thirteen in Vendée (western part of France), and noted for his valor. —— Viala, also a common soldier who distinguished himself during the Revolutionary wars. —— nous fait envie, *we envy, we long after*. *Envie*, which gives English *envy*, is derived from Latin *invidiam* (from *in*, against, and *videre*, to see) ; it then means *inclination, desire, longing*.

Page 6, l. 8: époux. The form *époux* (fem. *épouse*) comes from Latin *sponsum*, pp. of the verb *spondere* (to promise solemnly), and so means lit. *the one promised*. The earlier (Old French) masc. and fem. forms were *espous, espouse*, from which we get English *spouse*, one of the oldest words in the language of French origin. Cf. the English verb *espouse*, French *épouser*.

Line 15: flancs ; *flanc* for *sein ;* cf. note to l. 10, p. 5.

Line 20: vœux, *wishes*. *Vœu* is derived from Latin *votum*, a promise, vow, then (from the wish implied in the vow) a wish, desire ; *vœu* was in Old French *vou*, which gave the English word *vow*. Cf. French and English *vote*, which is a later word taken over from the Latin.

Line 21: Qu'ils, *let them.* —— murailles; cf. *murs.*

Page 7. ÇA IRA. — This popular song of the Revolution dates probably from May or June, 1790. It met with unbounded enthusiasm, was taken up all over France and raised to the rank of *chant national,* along with *la Marseillaise* and *le Chant du départ.* Its authorship is uncertain. Attempts have been made to refer it to a certain Ladré, who was an itinerant singer, and who claimed the honor of having composed the words. Dumersan, who gives the text in his *Chansons nationales et populaires de France,* ascribes it to Ladré ; but it is very doubtful if he was the author of it, at least in its original form. The words of the *Ça ira* were adapted to an air called *le Carillon national,* a *contredanse* composed by Bécourt, which was very much in vogue at the time.

Each of the five stanzas of the song begins with *Ah ! ça ira, ça ira, ça ira !* meaning, it will go, or it will do, that is, it will succeed. There is some reason to believe that the song itself may have taken its origin in the expression *ça ira* as a popular cry or saying. It is even related that Franklin, during his residence at the French capital, being continually plied with questions regarding the success of the American Revolution, was accustomed to reply with a smile, *ça ira, ça ira,* and that later the French Revolution took up the saying and made a war-song of it. At all events, some uncertainty hangs over the original and authentic text of the composition.

Later on in the Revolution (from 1792) the *Ça ira* became the echo of public passions, and was reinforced by such lines as, *Les aristocrates à la lanterne !* (" To the lamp-post with aristocrats ! ") and *Les aristocrates on les pendra !*

Page 8, l. 1: en restent là ; *en rester là* means to stay, stop at that point of it, so, to leave off there, to stop short, etc.

Line 4: Boileau, Nicolas Boileau-Despréaux, a famous French critic of the seventeenth century (b. 1636, d. 1711), celebrated for his satires (borrowed chiefly from Horace) and other poems, and known especially by his *Art poétique* (1674), a work modelled on the *Ars Poetica* of Horace, in which he definitely formulated the rules for literary composition in France.

Lines 14-15. The Scripture reference is Matt. xxiii. 12. —— on (formerly *om*) is derived from the Latin nom. *homo,* man, and then, one, any one. Initial *h* was regularly suppressed. The form *l'on* represents Latin *ille homo*, as the French definite article comes from the Latin demonstrative pronoun. The acc. *hominem* gives French *homme* (formerly *omme*, until the *h* was replaced, as graphic sign only) ; so in this word (as in some others) two Latin cases remain in the modern language.

Line 23 : **Pierrette**; another reading is *Pierrot*, likewise a dim. of *Pierre*, but masc. —— **Margot**, a very familiar dim. of *Marguerite*. —— **guinguette**, a popular name given to inferior taverns or drinking houses in the suburbs of Paris and other cities.

Page 9, l. 1 : **à quia.** To be *à quia* is to be reduced to a condition where one cannot reply, that is, *at naught, nonplussed*. *Quia* is the Latin word meaning because, and *être à quia* represents the situation of one who, being asked *why?* or *wherefore?* in a discussion, answers *because!* without being able to go on. —— In this line the verb (*était*) is to be understood. —— **jadis**, equivalent to *autrefois*.

Line 2 : **mea culpa**, Latin words equivalent to *par ma faute ; dit mea culpa = avoue sa faute*.

Line 6 : **Lafayette** (1757-1834). The illustrious French statesman and patriot. The services rendered by him to the cause of American liberty can hardly be over-estimated, while in France he was an ardent and consistent supporter of moderate measures.

Line 13 : **d'avec**, *from* (as differing from).

Line 14 : **pour le bien soutiendra**, *will stand up for the right. Soutenir* is no longer used as neuter verb.

Line 17 : **au nez lui rira**, *will laugh in his face*.

Page 10, l. 1 : **du louche**, *something ambiguous. Louche* means lit. squint-eyed ; it comes from Latin *luscum* (properly, one-eyed). The confusion of these two ideas is frequent in French dialects.

Line 3 : **Lafayette dit.** Another version reads : *La liberté dit*.

LA CARMAGNOLE. — *La Carmagnole* is a fourth song upon which has been conferred the rank of *chant national*. It was composed in 1792, after the events of the tenth of August, when the people rose in a mob and made an attack upon the palace of the Tuileries, resulting in the imprisonment of the royal family in the Temple. The federate troops from Marseille, who took a very active part in the scenes of that day, wore a kind of long jacket, still in use in the south of France, called *carmagnole ;* to this circumstance is probably due the name of the song. There is in Piedmont a town by the name of *Carmagnola,* where the garment in question may have been originally worn.

This famous song is in a certain way a recital of the insurrection of August 10, and of its immediate consequences. Marie Antoinette is represented under the *sobriquet* of *Madame Veto,* and the king under that of *Monsieur Veto.* Of the thirteen stanzas which compose the song, eleven are here given. In singing, the first and second lines of each stanza are sung twice. The name of the author is unknown.

La Carmagnole enjoyed the same popularity as the *Ça ira,* was sung and danced on all occasions, at theatres and balls, as also around the guillotine, and thus became the ready signal and accompaniment of the bloody scenes of the period, until the time of the Consulate, when Bonaparte suppressed both these songs. *La Carmagnole* has been severely judged as exhaling an odor of blood and brutality. It was, like the *Ça ira,* a violent and impulsive song, rather than a patriotic ode. But it remains as a curious monument of popular sentiments and impressions prevailing at Paris in 1792, and is sung by the Parisian populace to-day side by side with *la Marseillaise.* Victor Hugo, in *les Misérables,* says, with his customary rhetoric (in speaking of the *Parisien*) : " Il chante, c'est sa joie. Proportionnez sa chanson à sa nature, et vous verrez ! Tant qu'il n'a pour refrain que *la Carmagnole,* il ne renverse que Louis XVI. ; faites-lui chanter *la Marseillaise,* et il délivrera le monde."

Line 11 : canonnié, instead of *canonniers,* on account of the rhyme. In l. 2, p. 12, the same form occurs (for *canonnier*). Cf. also l. 19, below : *quartié* for *quartier.* The same thing is occasionally met with in more recent poetry ; thus *dîné* (for *dîner*) to rhyme with *sonné.*

Line 13 : **Vive.** The pres. subj. of *vivre* is used in expressions of good wishes or in vigorous exclamation for English *long live ! hurrah for ! for ever !*

Line 21 : **Les Suisses**. The *Gardes Suisses* were bodies of mercenary Swiss troops. They were employed as body-guards to the kings and for duty about the court. They were organized at Paris as early as 1616, and were very devoted to the interests of the Bourbons. In the present instance (August 10, 1792), they were, in large part, massacred by the rabble, while in heroic defence of the palace of the Tuileries. They numbered about 2,000 men. Their heroism has been commemorated in Thorwaldsen's *Lion of Lucerne*, a colossal sculpture cut in the face of the rock near Lucerne. Since the fifteenth century it has been the custom in many European countries to employ these Swiss guards. The pope's body-guard at the Vatican is composed of Swiss mercenaries.

Page 11, l. 3. In some versions the refrain is varied here by the line : *Chantons notre victoire*, etc.

Line 4 : la tour, *la tour du Temple*, the prison of Louis XVI. and his family. It was the ancient stronghold of the Knights Templars, in Paris. Nothing remains of it to-day. An open square occupies the site. *Tour* (fem.) is from Latin *turrem*, acc. of *turris*. In the next line *tour* (masc.) comes from Latin *tornum* (a turner's wheel, a lathe), and so contains the idea of *circular motion*, *revolution*, English *tour* (cf. *turn*) ; *faire demi-tour* is a military expression, meaning to turn half-way round, to face in the opposite direction ; *demi-tour à droite* (command), right about. The play is upon the two words *la tour* and *le tour ; fair'*, to avoid an extra syllable in the line.

Line 9, allusion to works executed at the Temple to prevent the escape of the captives.

Line 15 : Tous les bonnes gens. French grammar requires *toutes* here, which would make an extra syllable in the line. Usage prescribes *tous les gens, tous les braves gens*, but *toutes les bonnes gens*. *Gens* is plur. of *gent* (Latin *gentem*) ; it is in general treated as masc., but a preceding adjective of two terminations is put in the fem., as also *tout* before such adjective.

Line 21 : vous. The indirect object-pronoun is often used in familiar language to indicate that the person speaking or spoken to is somewhat interested in the action. It is the ethical dative of the Latin.

Page 12, l. 7 : Nous les ferons sauter ; *faire sauter*, to blow up (with powder).

Line 9 : sans-culotte. Before 1789, the customary lower garment for Frenchmen was the knee-breeches or *culottes*. The republicans of the Revolution rejected these as belonging to the monarchical régime, and assumed the pantaloon as their distinctive garb.

Line 11: **Marseillois**. Such terminations were afterward written *ai*. The earlier orthography is used here on account of the rhyme.

Line 12: **Les Bretons**, '*autres fédérés.*'

Line 17: **lurons**. A *luron* is a jolly fellow, a *bon vivant*.

Page 13. DÉCLARATION DES DROITS DE L'HOMME ET DU CI-TOYEN. — The Declaration of Rights, first presented in the National Assembly by Lafayette, and modelled somewhat on the American Declaration of Independence, was adopted, after prolonged discussion and modification, on Aug. 26, 1789, under the form of seventeen heads or articles. It formulated those general truths from which all institutions should proceed, and was intended as a preamble to the constitution.

Thomas Rousseau, the author of the song, was a littérateur and ardent revolutionist, who died at Paris in 1800. He was known during the Revolution as one of the first members of the society of the Jacobins, and as the author of revolutionary pamphlets and songs. He published, among other works, *les Chants du patriotisme* (1792).

Line 4: **aréopage**, *assembly ;* from the Greek. The *Areopagus* was a sovereign tribunal at Athens, so called from having been held on a hill sacred to Ares, or Mars.

Line 9 : **lois**. *Loi* is derived from Latin *lēgem ;* long accented *e* of the Latin becomes regularly *oi* in Modern French; cf. *rēgem > roi*, *habēre > avoir.* —— *Droit* (l. 11), when meaning law, is more general and inclusive than *loi ; droit municipal*, municipal law, *faire son droit* (of students), to study law; *droit* is from Latin *directum*.

Line 10: **sûre**. *Sûr*, contracted from former *seur*, is derived from Latin *securum*, whence English *sure*, through the French; cf. English *secure*, which has been taken over directly from the Latin.

Line 12: **Qu'il**. *Il* refers to *l'homme* (l. 7). The thought here is based upon Art 2 of the Declaration of Rights, which reads : " Le but de toute association politique est la conservation des droits naturels et imprescriptibles de l'homme, la sûreté et la résistance à l'oppression."

Line 19 : **Paraguais**, commonly spelled *Paraguay*, now one of the South American republics, to the south of Brazil and Bolivia.

Page 14, l. 3–4. These lines are a paraphrase of the first part of Art. 1 of the Declaration of Rights. The Article reads : " **Les**

hommes naissent et demeurent libres et égaux en droits. Les dis-
tinctions sociales ne peuvent être fondées que sur l'utilité commune."

Lines 19-26. This strophe is based upon Art. 4 of the Declaration of Rights, which is as follows: "La liberté consiste à pouvoir
faire tout ce qui ne nuit pas à autrui. Ainsi l'exercice des droits
naturels de chaque homme n'a de bornes que celles qui assurent aux
autres membres de la société la jouissance de ces mêmes droits. Ces
bornes ne peuvent être déterminées que par la loi."

Page 15, l. 1-8. The reference in this stanza is to Art. 10 of the
Declaration of Rights, which reads: "Nul ne doit être inquiété pour
ses opinions, même religieuses, pourvu que leur manifestation ne
trouble pas l'ordre public établi par la loi." Notice, however, that
the Declaration recognizes strictly only liberty of religious opinions,
and not expressly liberty of worship. The insufficiency of this Article
had been seen and combated against by Mirabeau.

Line 23: **que,** *let*, introducing subj. in next line.

Page 16, l. 3: **Goûter,** from Latin *gustare;* cf. English *gust*
(obs.), *dis-gust, gusto,* etc. As intransitive *goûter* means to take a
luncheon, to lunch, though the verb *luncher* has now made its way
into the vocabulary.

Line 19: **gothiques,** that which pertains to the Goths; then, by
extension, that which belongs to the Middle Ages, and so, *rude,
barbarous.*

Line 25: **Du Rhin,** to which the eastern boundary of France
then extended.

Page 17, l. 2: **Mont-Blanc** (the 'white mountain'), whose sum-
mit for a distance of 7,000 feet down is covered with perpetual snow,
is the highest peak of the Alps, and with one exception the highest
mountain in Europe. It is in the department of Haute-Savoie,
France. Its height is 15,781 feet. The definite article is used before the name of a single mountain: so *le Vésuve,* Vesuvius.

Line 3: **Plus de barrières,** *no more barriers; plus* has negative
meaning without *ne,* the verb being omitted.

Line 8: **aux abois,** *at bay; être aux abois,* to stand at bay, and
then figuratively, to be hard up. *Aboi* is the bark of the dog (*aboyer,*
to bark), then, in the plur., denotes the moment when the stag, closely
pursued by the barking dogs, is reduced to the last extremity.

Line 9 : conspire. The conspiracy alluded to was the hostile coalition of foreign powers against France, referred to above in introductory remarks to *la Marseillaise* (vid. p. 147).

Lines 15–22. In the fall of 1792, the French met with considerable success against the Austrians and Prussians. The campaign, which had opened with the invasion of Lorraine and Champagne, ended, in December, with the annexation of Nice and Savoy to France, and with the occupation of a portion of the Rhenish provinces and all Belgium. Later, however, reverses were numerous.

Line 23. helvétiques, *Swiss.*

Line 25 : provinces belgiques. An insurrection broke out in Belgium against Austrian rule in Dec. 1789 (it had been subject to Austria without interruption since 1748), and on Jan. 11, 1790, the Belgian provinces, with the exception of Luxembourg, proclaimed their independence under the name of 'United Belgium'; but in Nov. 1790, the rule of the Austrians was reëstablished. At the battle of Jemmapes, Nov. 1792, the forces (raw levies) of the first French Republic, under Dumouriez, gained a decisive victory over the Austrian army, and occupied the Belgian territory, proclaiming there, as elsewhere, the sovereignty of the people and the abolition of existing authorities.

Page 18. LE BONNET DE LA LIBERTÉ. — This was the cap adopted as the emblem of liberty by the French Revolutionists ; and it has remained since as a symbol of the revoutionary spirit. It was known also as the *Bonnet rouge* and *Bonnet phrygien.* It was a long red woolen cap, usually falling over on the side of the head, similar to that worn by the ancient Phrygians. It attained lasting popularity during the crises of 1792 and 1793. It figured everywhere as emblem, — at the head of letters, on stamps and seals, on panels of carriages, as shirt-studs, etc The adoption of such a cap by the Revolution is probably not to be referred to the red head-gear of galley-slaves, from whom it has been claimed that the idea was borrowed, but rather to the fact that in ancient times the enfranchisement of slaves (who usually went bare-headed) was accompanied by their assumption of some similar head covering, and to the fact that, before the Revolution, a cap of this shape and color was already worn by the poorer class in several provinces. —— Observe that *bonnet* never means a lady's bonnet, which is *chapeau* (*de femme*).

Line 4 : Que, *how many ;* in l. 6 : *how* or *what ;* and in **l.** 11 : *let.*

Line 14 : bourrelet, a sort of stuffed wrapping or pad put round children's heads to protect them when they fall.

Line 21 : cervelet, strictly the *cerebellum ;* it is a dim. of *cerveau* (the brain, the cerebrum) through the older form *cervel,* which is itself derived from the Latin dim. *cerebellum.* Note that in case of many French words developing from diminutive forms, all trace of diminutive signification has disappeared; so *abeille* (bee), *agneau,* (lamb), from Latin *apiculam, agnellum.*

Page 20, l. 7 : Manier, *handle, wield ;* derived from a verb-form drawn from Latin *manus,* hand, French *main.* Cf. English *handle* and German *handhaben* in their formation.

Line 17 : à bas, *down* (overturned); in exclamations is used to express disapproval, *down with,* as *à bas les ministres !*

Page 21. COUPLETS CHANTÉS DANS UN DÎNER JACOBIN. — *Jacobin* was a name given to a political club established at Paris in 1789, so called because its members held their meetings in the convent of the Jacobins, or Dominican monks, from the chapel of St. James (Latin *Jacobus*), near which they settled in the thirteenth century. The Jacobins were the ultra-revolutionists of the Revolution, and the name has been applied since to denote in general partisans of ultra-democratic ideas.

Line 1 : Feuillants, was the name given to the members of a political club of the Revolution, from the fact that their reunions took place in the ancient convent of the order of monks of that name. They were of the moderate party, and opposed to the Jacobins. Lafayette was a prominent member. —— **endormeurs,** a noun formed upon the stem of *endormir,* to put to sleep, from Latin *in* and *dormire.* This name was given during the Revolution to those who favored legal means and lenient measures.

Line 14 : courroux, *anger,* a synonym of *colère,* but belonging to poetry and elevated style.

Page 22, l. 4 : biribi, name given to a game of chance or mode of gambling much in vogue at that time.

Line 6 : assignats, the paper money issued during the Revolution, based upon the security of the lands of the state.

Line 9 : allusion to war against Austria declared in 1792 ; cf. note p. 147.

Line 10: **volons**; *voler*, to fly, comes from Latin *volare*; *voler*, to steal, is comparatively modern, but is doubtless the same word, by an easy change of meaning.

Line 20: **arracherons**. The verb *arracher* is followed by both *de* and *à*. *Arracher de* points rather to resistance on the part of that which is torn or snatched away (cf. p. 48, l. 25). *Arracher à* indicates resistance on the part of that from which something is torn or snatched away. Cf. *arracher un homme d'un lieu, arracher un enfant à sa mère*.

Page 23, l. 7: **C'en est fait**, *it is all over* (with peace). *Fait*, from Latin *factum*, pp. of *facere*, gives, as substantive, English *feat*.

Line 9: **Que** (with *ne*, subj.), *except, unless, until*.

Line 12: **compté**. Compare *compter* and *conter*; both of them are derived from Latin *computare*. Distinguish *compte* (an account), *conte* (a tale or story), and *comte* (a count) from Latin *comitem*.

Line 14: **le cours**; with this word, from Latin *cursum* (*currere*, to run), compare *la cour*, court, yard, from Latin *cohortem* or *cortem*.

Line 20: **trépas**, is the poetic word for death, and contains the idea of passage from one life to another, as opposed to *mort*, which is the ordinary word, and suggests the cessation of life only; *trépas* is said of man alone; the original elements in the word are Latin *trans* (across) and *passus* (a step); cf. English *trespass*.

Page 24. RONDE PATRIOTIQUE. — *Ronde*, a song with a refrain sung by each one in turn.

Line 7: **vitres**; *vitre* (Latin *vitrum*, from which also French *verre*) is properly window-glass, pane of glass; allusion here to the embellishing of windows with the coat-of-arms of a family.

Line 16: **vélin**, *vellum*, a finer kind of parchment especially prepared for writing.

Line 17: **Pourquoi diable**, *why in the world, why on earth?* *Diable* (Latin *diabolum*) is here used as an interjection to express surprise or displeasure. Frenchmen like to emphasize their speech, and use many words as exclamations which would convey too strong a meaning if literally translated. Thus *Mon Dieu! Grand Dieu!* and disguised oaths like *Morbleu! Parbleu!* etc., mean no more than our *Oh, Heavens! Dear me! Zounds!* and the like.

Page 25, l. 10: **son foudre**. *Foudre* is fem. in ordinary language ; from Latin *fulgurem*, where *d* has been introduced between *l* and *r*, as in *poudre* (powder) from Latin *pulverem*.

COURTE ANALYSE. — In July, 1790, the National Assembly adopted the Civil Constitution of the Clergy, which entirely changed the Church system in France, making priests and bishops elective, and destroying papal jurisdiction. The clergy were compelled to take an oath of allegiance to the Constitution *(serment civique)*. The pope declared that all of the French clergy taking such an oath were schismatics, and should be cut off from communion with the Catholic Church. The king vetoed the Assembly's measure, but was later obliged to sanction it, and the oath, which had been at first refused by two thirds of the clergy, was ultimately taken by about half of them.

Line 13 : bref, a pastoral letter from the pope, despatched to a religious community, or a communication addressed by him to a magistrate or prince concerning public affairs ; English *brief ;* from Latin *breve*, short, then in Late Latin (as substantive), a short catalogue, summary, and then a letter.

Line 14 : votre chef. *Chef* (Old French *chief*, from which English *chief*) is derived from Latin *caput.* Latin tonic *a* before a labial becomes French *e ;* cf. *capram* > *chèvre* (goat), *navem* > *nef.* Note also the change of initial *c* (before *a*) to *ch* in French. In its primary meaning of *head* (of men and animals), *chef* has been replaced by *tête*, from Latin *testam*, an earthen jug, a shell, and then a skull.

Page 26, 1. 4 : la chrétienté, *Christendom*, not *Christianity*, which is in French *le christianisme ; chrétienté* (Latin *christianitatem*) is strictly the same word as *Christianity*, but with a different shade of meaning.

Prose : commander à. Compare *commander* and *commander à :* the former indicates a positive fact, a more definite and visible relation *(commander des armées)*, while the latter suggests an authority more undetermined and without precise limits, or announces a general right *(commander aux nations).* —— **tu es petra,** etc. The reference is Matt. xvi. 18.

Line 12 : Porter sur, *to rest upon.*

Page 27, 1. 5 : C'en est donc fait ; compare with p. 23, 1. 7 ; *donc* adds emphasis.

Line 6: **calice,** cup used at mass for the consecration of the wine, *chalice.*

Line 8: **caveau,** dim. of *cave* (cf. English *cave*), cellar, from Latin *cavum,* hollow; a small cellar made in an ordinary cellar, and in churches a subterranean construction for burial.

Prose: **battant la campagne;** *battre la campagne* means figuratively, to beat about the bush, to wander from the point. —— **quod ligabis,** etc. The reference is Matt. xvi. 19. —— **rien,** *anything.* *Rien,* though in itself properly affirmative (from Latin *rem,* thing), is generally used in negative phrases and with negative value. Exceptions are most frequent in clauses like the present one, which contain a negative implication. In Latin *rĕm* > French *rien,* note the change of ĕ to *ie.* This is the law for accented short *e ;* so *bĕne* > *bien, pĕdem* > *pied.* —— **délier,** *to loose, to unbind,* from Latin *dis* and *ligare* (to bind); cf. the expression *sans bourse délier,* without paying anything, without spending a cent, as *faire une affaire sans bourse délier.* —— **se laisser faire,** *to offer no resistance, to let people do as they like with them.*

Line 11: **bulle,** here = *bref.*

II. BÉRANGER.

Page 29. Pierre-Jean de Béranger (1780–1857) was born in Paris of a family belonging to the middle class. He is ranked among the foremost of song writers. He published his first collection of *Chansons* in 1815, which was soon followed by others. His themes were varied. After the Restoration of Louis XVIII., he attacked the government with political and satirical songs, which caused him more than once to be fined and imprisoned; but each sentence only added to his favor with the people. His songs in praise of the Empire of Napoleon contributed much to the popular notions of its glory. He sang of liberty and the misfortunes of his country, as also of love and wine; in the latter he has been open to criticism. Béranger stands as the representative of French song. He was preëminently the poet of the people ("*Le peuple c'est ma muse !*" he says in his preface), and perhaps the most popular of all the modern French poets. He has been called the Robert Burns of France, and was like him in suiting the masses of his countrymen.

LE ROI D'YVETOT. — Yvetot is a town of Normandy, on the railroad from Havre to Paris. According to an ancient tradition, there was, under the Merovingian race, a lord of Yvetot who succeeded in having his little domain elevated to a kingdom; and later his descendants claimed and exercised some such right. This famous song was an evident satire upon the insatiable ambition and warlike propensities of Napoleon, by the ironical picture (just at that time, in 1813, after the retreat from Moscow) of the "Good Little King of Yvetot," who cared not for glory, and whose only crown was a cotton night-cap.

Sainte-Beuve (*Causeries du lundi*) says of this poem: "*Le Roi d'Yvetot*, par où il débuta en mai 1813, me semble parfait; pas un mot qui ne vienne à point, qui ne rentre dans le rhythme et dans le ton; c'est poétique, c'est naturel et gai; la rime si heureuse ne fait, en badinant, que tomber d'accord avec la raison."

Line 1: Il était = *il y avait*, which is not allowed in verse. Cf. *Remarks on Versification, IV.*

Page 30, l. 5: suppôt, from Latin *suppositum* (*sub* and *ponere*), placed under, so *a subordinate, a member* (of a body), *an agent, instrument, an inferior* (who serves blindly).

Line 6: muid, *hogshead;* from Latin *modium*, measure.

Line 15: ban (Latin * *bannum*, proclamation; of German origin, cf. English *ban*), is the calling together of the vassals of the king for military service; *lever un ban* is to make such a convocation.

Lines 16–17: tirer . . . Au blanc, *to shoot at the bull's eye.*

Page 31, l. 10: Devant, *before* (*it*).

ADIEUX DE MARIE STUART. — Mary Stuart, Queen of Scots (born 1542, executed 1587), was the daughter of James V., king of Scotland, and Marie de Lorraine, daughter of the French duke of Guise. At the age of six years she was sent by her mother to France, where she passed most of her youth, and became fondly attached to the country. In 1558 she was married to the dauphin, who ascended the throne of France as Francis II., in the following year, and died in 1560. The present poem is supposed to express her feelings of grief upon leaving France in 1561, to assume the crown of Scotland. Note that

Mary Stuart is a character much celebrated in literature; cf. tragedies by Alfieri and Schiller.

Line 14: **pays,** compare with *patrie* (l. 18).

Page 32, l. 8 : **les lis,** that is, the crown of France, the lily being the emblem of French royalty.

Line 21: **Dans l'inculte Calédonie,** '*In Scotland's rugged clime.*' In the next line *le cours* is subject.

Page 33, l. 8 : regards, *looks, eyes.* Cf. meanings of English *regard,* also French *égard.* Cf. the English word *reward* (= *regard*). Several Germanic words which came through the Old French into the English have there retained an original *w*, which was in French changed to *g* (or *gu*) ; and the form in *g* was likewise in some cases transferred later into English. The origin of the present word is Old High German *warta.* Cf. English *warrant* = French *garant* (Old French *warant*).

Line 10: **vogue,** *is sailing. Voguer* is of German origin, and contains the idea of movement; cf. Modern German *wogen* and English *in vogue.*

LES OISEAUX. — Antoine-Vincent Arnault (1766–1834, poet and fabulist), to whom *les Oiseaux* was addressed, was exiled in 1816 by the Bourbons (and recalled in 1819). Béranger, in *Ma Biographie,* says of the circumstances : " En 1816, au mois de janvier, Arnault, banni, quitta la France, et nous le conduisîmes jusqu'au Bourget, qui était pour ainsi dire alors la limite du royaume, le reste étant, de ce côté-là, placé sous l'occupation étrangère. Le soir, dans une chambre d'auberge, à table avec un jeune officier de gendarmerie chargé de veiller sur cette frontière, et qui déplorait les malheurs de la patrie, je chantai au pauvre proscrit la chanson des *Oiseaux,* tristes adieux, suivis d'adieux plus tristes encore."

Page 34, l. 13 : Oiseaux, etc., alluding to the French retained in France by duty or other motive.

Line 23 : **vieux chêne,** here a type of France.

Page 35, l. 4 : eût, subjunctive, with force of conditional. —— Socrates is said to have worn the same garment winter and summer

Line 5: **mince,** *worn, threadbare.*

Line 17 : **reprise,** *patch, darn,* a participial subst. from *reprendre,* Latin *reprendere.*

Line 23 : Lisette, dim. form of *Lise* above (l. 19). —— **a mis,** *spent, took.*

Page 36, l. 2 : en se mirant, '*before his glass*'; *mirer,* from Latin *mirari,* to wonder at, to admire : cf *miroir,* English *mirror.*

Line 5 : Pour des rubans, etc., alluding to the system of honorary decorations established by Bonaparte in 1802, as a means of recompensing civil and military services. The name given to the order was the Legion of Honor. Béranger would never accept any such distinction; in place of a ribbon he put a flower in his button-hole.

Line 14 : Mettre . . . habit bas, *i. e., mourir.*

LA SAINTE ALLIANCE DES PEUPLES. — *Liancourt,* to the north of Paris, between that city and Amiens. —— *Le Duc de la Rochefoucauld* (1747–1827), a liberal French peer and philanthropist. —— *L'évacuation du territoire français,* by the allied armies, which had held possession of the principal fortresses of France during the three years following the Restoration of Louis XVIII. in 1815.

Page 37, l. 3–4 : "*Nations, unite to form one holy band*
And join ye hand in hand." YOUNG.

Page 38, l. 5 : conjurez, *avert.*

Line 11 : accords, *sound, strains.*

Line 14 : hymen, *union.*

Line 20 : L'automne en fleurs, *the flowering autumn.* "Dans le dernier couplet, l'auteur n'omit point de parler de la beauté extraordinaire de l'automne de 1818. On vit dans beaucoup d'endroits des arbres fruitiers refleurir comme au printemps." (*Note de Béranger.*)

Page 39. LES ENFANTS DE LA FRANCE. — "On a souvent accusé Béranger de se laisser dominer par l'esprit de parti. Jamais reproche ne fut moins fondé. 'Le bonheur de la France avant tout,' tel était le fond de sa politique. Au commencement de 1819, une espérance d'amélioration parut saisir tous les hommes amis du pays. Le poëte se laissa aller à cette douce espérance, et cette chanson en porte l'empreinte. Mais Béranger ne dut point oublier les outrages que l'Angleterre fit subir à sa patrie : aussi, à propos d'une riche exposition de peinture, rappelle-t-il la spoliation du Musée." (*Note de Béranger.*)

Line 9 : te faire absoudre (de), *to resign.*

Line 21. The reference is to the following: At the downfall of Napoleon the allies insisted upon the restoration to their former owners of the choice pictures and statues which had been stolen in Italy and carried to Paris to enrich the palace of the Louvre. Béranger calls this restoration a *vol.*

Page 41. LES HIRONDELLES. — This song represents a French soldier, ' bowed beneath a Moorish chain,' interrogating the swallows to learn from them what is taking place in France and at his home. —— *Hirondelle* is strictly a dim. term; its basis is the old form *hironde,* (Latin *hirundinem,* swallow).

Line 15: chaumine, is a peasant's hut, a poorer structure than *chaumière* (cf. p. 5, l. 14), though both derive their name from being covered with *chaume* (thatch).

Page 42, l. 3: aux noces conviée, ' *bidden to the nuptials.*'

LAFAYETTE EN AMÉRIQUE. — In 1824 Lafayette revisited the United States, where he was welcomed with enthusiasm and grateful recognition of his services in the cause of the American Revolution.

Page 43, l. 15: Olmutz, town in Austria where Lafayette was imprisoned in 1794.

Line 18: Par un héros, that is, Washington.

Line 21: que, *when.*

Page 44, l. 1: L'arbre sacré, *the sainted tree;* cf. l. 20, p. 43.

LES SOUVENIRS DU PEUPLE. — This song, one of the most popular of the author's political *chansons,* celebrates the praises of the Emperor Napoleon.

Lines 13–14 These lines have been translated by Young as follows: —

> " *Ay, many a day the straw-thatched cot*
> *Shall echo with his glory !* "

Line 18: vieille, *old dame.*

Line 20: veille, *evening.* In the next line *bien que* means although.

Page 45, l. 1: grand'mère. In this expression, as in a few other similar ones (*grand'chose, grand'messe, grand'peine, grand'route,* etc.), there is no historical ground for writing the apostrophe after *grand.* Without it the word would be the normal development of a Latin adjective of one (masc. and fem.) termination (*grandem*). Formerly *grand* was both masc. and fem. In the course of time a fem. *grande* was formed from analogy with adjectives of two terminations. But in a few cases which had become fixed expressions the original form has remained, and the apostrophe is wrongly written, as if a mute *e* had been elided.

Line 5 : ça, familiar contraction for *cela.* The line means : *That was a long while ago.*

Line 6. *Entrer en ménage* means to begin house-keeping.

Line 11 : me troublai, *became confused.*

Line 16 : pauvre femme, *poor soul.*

Line 19 : Notre-Dame, the cathedral, begun in the twelfth century.

Line 25. Napoleon married in 1810 the Princess Maria Louisa of Austria. By her he had a son (b. 1811) who received the title of " King of Rome." The prince died in 1832.

Page 46, l. 1 : Champagne, one of the former provinces of France, to the east of Paris ; forms to-day several departments ; was called *Champagne* on account of its extensive plains. The name of the wine is masc., *vin* being understood. *Champagne* and *campagne* (l. 4) are properly the same word, the latter belonging primarily to the dialect of Picardy, in the north of France (cf. *champ* and *camp*). The Latin original was *Campania*, a province in Italy, later used as common noun meaning a plain. —— The references in this stanza and the following one are to incidents in the year 1814, when the empire was invaded on all sides by the allied powers of Europe. Champagne was occupied, and was the scene of contests between Napoleon and the invaders. In April he was hastening to Paris when he learned of its capitulation.

Line 4 : tenir la campagne, *to keep the field.*

Line 9 : s'assoit ; the more usual form is *s'assied.*

Line 15 : pain bis, *brown bread ; pain*, from Latin *panem ;* Latin *a* before a nasal changes to *ai* in French ; cf. *manum > main, famem > faim.*

Line 19 : Bonne espérance ! ' *Cheer up !'*

Line 21 : Sous Paris, *i. e., before Paris,* ' *'neath Paris' walls.'*

Line 27 : Le, *i. e., son verre.*

Page 47, l. 1–2. The act of crowning was not literally performed by the pope. The ceremonies took place (on Dec. 2, 1804) in the cathedral of Notre-Dame, where Pius VII., having made the journey to Paris, appeared in order to crown Napoleon; but Napoleon took the crown from the pope's hands and placed it himself upon his own head. He died at Saint-Helena May 5, 1821, at the age of fifty-two. His remains were brought to France in 1840, and entombed at Paris under the dome of the *Hôtel des Invalides*.

LE TOMBEAU DE MANUEL. — Jacques-Antoine Manuel (1775–1827), a French orator and republican noted for his upright character, was a friend of Béranger, to whom the latter was deeply attached. Their intimacy dated from 1815. Béranger was buried, according to his wish, in the same grave as Manuel. On the tomb in the cemetery of Père-Lachaise at Paris, beneath the inscription, *Béranger Poëte national, né à Paris le 19 août 1780, mort le 16 juillet 1857*, one reads, *Je désire être inhumé dans le tombeau de mon ami Manuel. Dernières paroles de Béranger.* In *Ma Biographie*, in speaking of the death of Manuel, Béranger says: "On parla d' élever un tombeau; mais . . . presque toutes les grosses bourses refusèrent de s'ouvrir, et l'on eut bien de la peine à recueillir neuf ou dix mille francs par souscription."

Line 15: confidence; compare with *confiance*.

Line 17: vous l'allez oublier. This order was prescribed generally in Old French, the finite form of the verb being treated as a kind of auxiliary, and taking before it the pronoun logically belonging to the infinitive. In Modern French several verbs (*faire, entendre, envoyer, laisser, sentir, voir*) still conform to the rule of the earlier language, as *je l'ai entendu dire, je le fais sortir*. With *vouloir, pouvoir, devoir, aller* the same is sometimes the case, but more usual is *vous allez l'oublier*.

Page 48, l. 1: tombeau. *Tombeau* and *tombe* (p. 47, l. 18) when meaning tomb, tomb-stone, differ in that the former is commonly a more elaborate work of art. —— sied, *is fitting*. *Seoir*, from Latin *sedēre* (to sit) is defective as a simple verb; in the sense of *fit, become* (of clothes and the like), the third persons of some of the tenses are used. The compound form used reflexively, *s'asseoir*, is the more important, and is conjugated in full.

Line 9: Arcole, a village in Northern Italy, where the French commanded by Bonaparte gained a victory over the Austrians in

November, 1796. Manuel, who had enlisted as volunteer in 1793, served in the Italian campaign and became captain. After the peace of Campo Formio (1797) he withdrew by reason of wounds, gave up the military career and devoted himself to the study of law.

Line 10: **luth,** here figuratively, *inspiration.*

Line 24: **glaive;** cf. *épée.*

Line 25: **De la tribune on l'arrache.** Manuel was expelled from the Chamber of Deputies in 1823, after a speech in reply to Chateaubriand. Cf. note to l. 20, p. 22.

Page 49, l. 3: **esquif,** from the Old High German *skif,* Modern German *schiff,* English *skiff* and *ship.* —— **à sec,** *high and dry.*

Line 7: **quatre ans,** *i. e.,* from 1823 to 1827.

Line 17: ' *Here in this ditch I'll breathe my last.*'

Page 50, l. 5: **hospice,** from Latin *hospitium* (hospitality, or a place where hospitality is given), here *asylum ;* cf. *hôpital,* l. 4.

Line 16: **maudis;** *maudire* from Latin *maledicere* (cf. English *malediction*). Medial *l* is often vocalized, becoming *u,* in French words like *cou* (neck) from Latin *collum, paume* (palm) from Latin *palmam,* etc.

Line 18: **mieux vaut tendre la main,** '*'twere better I should begging go.*' The omission of the pronoun in such expressions is frequent.

Line 22: **de par le roi,** *i.e., de la part du roi, in the king's name ;* this formula was placed at the head of official acts, summonses, etc. *Par* in this case is not the preposition (Latin *per*) ; but *de par* was formerly *de part* from Latin *de parte.* In the twelfth century *de part le roi, de part nostre Seigneur,* etc., was a regular construction in imitation of the Latin genitive. Cf. *Hôtel-Dieu* (for *Hôtel de Dieu,* the principal hospital of a town), a further remnant of the older language.

Page 51, l. 6: **que,** *why,* after which *ne* is used alone.

LE GRILLON. — In the present poem we have, in the words of a recent commentator, "la réunion de ces deux chansonniers, Béranger et le grillon, au coin du même foyer."

Line 13: '*Beside the hearth the embers stirring*;' *tisonner* is to stir or poke listlessly the *tisons* (fire-brands).

Line 16: **chansonne.** *Chansonner,* formed from *chanson* (Latin *cantionem,* song), means *faire des chansons contre quelqu'un,* as Béranger did against the Bourbons. *Chanter* (l. 15), from Latin *cantare*, means to celebrate in verse, as Béranger did Napoleon and the Republic.

Page 52, l. 3 : hétéroclite, *odd, bizarre*.

Line 15 : je le veux croire ; cf. note to l. 17, p. 47.

III. LAMARTINE.

Page 54. Alphonse Marie-Louis de Lamartine (1790–1869) was born at Mâcon and died at Paris. He is commonly ranked, with Victor Hugo and Alfred de Musset, as one of the three great poets of the century in France. He forms the transition between the classical models of the previous epoch and the new ideas of the Romantic school. His poetry expresses the new spirit while adhering to the old forms. He was essentially a religious poet, and shows a great admiration for nature. His first volume of verse, *les Méditations poétiques* (now known under the title, *Premières Méditations*) appeared in 1820. He published *les Nouvelles Méditations* in 1823, *les Harmonies poétiques et religieuses* in 1829, and *les Recueillements poétiques* in 1839. The first three of these volumes contain his best lyric work. In epic style were *Jocelyn* (1836), his best long poem, and *la Chute d'un ange* (1838). In prose Lamartine wrote *le Voyage en Orient* (1835) and *l'Histoire des Girondins* (1847), among much more that is comparatively unimportant. He was also eminent as an orator. He was admitted to the French Academy in 1830. The merits of Lamartine's poetry are purity, harmony, tenderness. He is deficient in vigor, tends to vagueness, and shows a spirit of melancholy which is more or less conventional.

LE LAC. — The reference is to Lake Bourget in Savoy. The poem is usually ranked as the masterpiece of *les Premières Méditations*, and is perhaps the most finished elegy in French literature. It was probably composed in 1817.

Line 6 : flots, *waters.* —— **elle**, refers here to a young lady with whom Lamartine was very much in love, and whom he celebrated under the name of Julie or Elvire. They had met at this place the year before. She died in 1818.

Line 10 : déchirés, *jagged ; déchirer*, to tear, a word of German origin.

Line 13: t'en souvient-il. The common prose form is *t'en souviens-tu.* The impersonal use of the verb (*il me souvient*) corresponds to Latin *subvenit mihi,* and was common until the sixteenth century. At that time the people began to say *je me souviens,* and the literary language gradually followed them.

Line 14: onde, here, as often in poetry, equivalent to *eau ;* derived from Latin *undam. Onde* and *flot,* in the sense of wave, differ in that the latter is the stronger and more violent.

Page 55, l. 11: leurs jours, *their lives. Jour* comes from Latin *diurnum,* properly an adjective meaning daily, then later the length of time called a day. The Latin substantive *dies* is preserved in the compound *midi* (of. English *midday*).

Line 17: de l'heure fugitive, depends upon *jouissons* in the next line ; *jouir* (*de*), to enjoy, from Latin *gaudere ;* the change in initial sound the same as in *jambe* (leg) from *gambam.*

Page 56, l. 8: nous ravissez, *rob us of.*

Line 13: il, refers to *souvenir.*

Line 19: l'astre au front d'argent, *the star with a silver brow,* *i. e., the moon.*

Line 24: dise, optative subjunctive, to be connected with the preceding *que's.*

Page 57, l. 2. The scene of the poem is in a rocky grove near the chateau of Lamartine's uncle in Burgundy.

Line 5: Vénus. The *s* is pronounced, as in other similar words, *e. g., Gil Blas, Arras, Reims.* The pronunciation of proper names is somewhat irregular, but in general a final consonant is apt to be sounded.

Line 14: l'astre nocturne, *the moon. Astre* (Latin *astrum*) is also applied to the sun, *l'astre du jour.* Cf. *étoile* (l. 6), from Latin *stellam.* Both these words designate the celestial bodies in general, but *astre* suggests an idea of greater grandeur and magnitude.

Page 59, l. 4: feux, *heat ; feu* is derived from Latin *focum.* Latin short *o* (in accented syllable), before a consonant not nasal, usually becomes *eu* in French ; cf. *prŏbam > preuve, nŏvum > neuf* (new), *nŏvem > neuf* (nine). Latin *o* before a nasal usually remains, as *homo > on, donum > don.*

LE VALLON. — The author says in his commentary to this poem:

"Ce vallon est situé dans les montagnes du Dauphiné" (an old province in the southeastern part of France). The valley was near a chateau belonging to one of the poet's friends. The time is 1818 or 1819.

Line 13: **vallée.** *Vallée* and *vallon* (l. 11, 18, etc.) are strictly distinguished as follows: The former denotes a larger, more extended space, the latter is more restricted; *vallée* is the *espace entre deux ou plusieurs montagnes*, *vallon* the *espace entre deux coteaux.* In the present poem, however, they are used indiscriminately. *Vallée* is the same word as English *valley*; *vallon* is a dim. of *val* (English *vale*). Latin *vallis* is the basis of both words.

Line 15: **entremêlée,** *interwoven;* cf. *mêlée* (fight, affray), borrowed by the English; cf. also English *medley.*

Page 60, l. 11: **fixer** = *arrêter.*

Line 14: **Léthé,** in mythology one of the rivers of the lower world, whose waters gave to those drinking them complete oblivion of the past.

Page 61, l. 17: **ombrage,** *shade;* cf. English *umbrage.* Cf. also *ombre* used several times in this poem. Latin *umbra* is the basis of both words.

Line 19: **Pythagore,** *Pythagoras,* a Greek philosopher who flourished about 540-510 B. C., and gave much attention to mathematics and music. His doctrine of the harmony of the spheres considered the universe as one harmonious whole, revolving about a common centre. The intervals between the heavenly bodies were supposed to be determined according to the laws and relations of musical harmony. These bodies in their motion must occasion a sound or note depending upon their distances and velocities, and the whole forms a regular musical scale or harmony. The sound of this music passes unnoticed by us because we are accustomed to it, and have had no opportunity to contrast it with absolute quiet, or else it is so powerful as to exceed our capacities for hearing.

Page 62. A UNE FLEUR. — After the appearance of the original edition of *les Premières Méditations* in 1820, poems of different periods were added. This is one of them.

Line 8: **les feuillages.** *Feuillage* (English *foliage*) means *l'ensemble des feuilles,* just as *plumage* means *l'ensemble des plumes,* and *courage, l'ensemble des sentiments du cœur.* The suffix *-age* enters into the formation of a large number of collective nouns.

Line 13 : Neigeait, referring to the orange blossoms.

Line 15 : croissais; *croître* from Latin *crescere* (cf. English *increase*) ; for introduction of *t* (between *s* and *r*) cf. être from **essere* (*esse*). Note use of imperfect in description here, as above, and cf. force of preterit in next stanza.

Page 63, l. 18 : folles, *sportive.* —— mains, *tendrils.*

Page 64, l. 11 : automne (*m* is silent, cf. the English word), from Latin *autumnum* or *auctumnum* from *augere,* to increase, so the season of abundance.

Line 16 : de duvet se pluche, *is covered with a velvety down ; pluche* or *peluche* is the same as English *plush.*

Line 21 : mamelles, *sources.*

IV. Victor Hugo.

Page 66. Victor-Marie Hugo, the greatest French poet of the nineteenth century, was born at Besançon, Feb. 26, 1802. His father had been devoted to the Republic, and became a general under the Empire. His mother belonged to a royalist family. This diversity of political opinions is reflected later in the poet's life and writings. While still very young, he accompanied his father and mother on military campaigns to Italy and Spain. This early influence also made itself felt in his later works. He commenced his poetical career at the age of fifteen by competing for a prize offered by the French Academy. He married, in 1822, Mlle. Adèle Foucher, the companion of his childhood. He was elected a member of the Academy in 1841. In 1851, after the *coup d'état* of December 2, he was exiled, and lived mostly on the island of Guernsey, until 1870, when, after the battle of Sedan, he reëntered France. He died at Paris, May 22, 1885.

At the age of twenty, Victor Hugo published his first volume of lyric poems, entitled *Odes et ballades,* followed later by a fresh collection. The lyric work of his earlier life centers in five volumes, which are all of the highest order. These are *les Orientales* (1829), *les Feuilles d'automne* (1831), *les Chants du crépuscule* (1835), *les Voix intérieures* (1837), and *les Rayons et les ombres* (1840). Of these *les*

Orientales picture Eastern scenes and excel in brilliancy and color. In *les Feuilles d'automne* domestic scenes are an important feature. After these volumes there was an interval of silence. *Les Contemplations* (1856) are mainly meditative. Other collections are *les Chansons des rues et des bois* (1865), *l'Année terrible* (1872), and *les Quatre vents de l'esprit* (1881), the last of which contains some fine lyric work with much other.——*Les Châtiments* (1853) was a satire of marvellous vigor against the Second Empire, and *la Légende des siècles* (1859–83) was an epic of humanity, which in majesty and depth is Hugo's best work.

In the drama must be mentioned *Cromwell* (1827), celebrated because of its preface, *Hernani* (1830), his representative drama, and *Ruy Blas* (1838), perhaps his most powerful one. As a novelist, Victor Hugo's typical work in Romantic fiction is *Notre Dame de Paris* (1831). *Les Misérables* (1862) is on the whole his best work. It and *les Travailleurs de la mer* (1866) were written during his exile in Guernsey.

Victor Hugo was the leader of the Romantic school, which revolted against rules and routine in literary composition. The manifesto of the school is the preface to *Cromwell*. Taking as thesis *le libéralisme en littérature*, he violates the rules of the classic French stage, abandons periphrases, makes over the Alexandrine, introduces the grotesque element, admits frequent and daring *enjambement*, and does these things often to excess. A recent critic says of him: "Il n'y a pas de poète au monde dont il soit plus légitime de dire beaucoup de mal et beaucoup de bien." Among the excellencies of his work are his wonderful faculty of word painting, the sweep and rush of his style, never failing poetical suggestion, brilliant coloring, mastery of versification, powerful portrayal of pity, terror, admiration. Defects are: subjection of thought to form, lack of proportion, tendency to carry the sublime into the ridiculous, extravagance of rhetoric. Other characteristics of the poet are love of antitheses, skill in the use of proper names, rich rhyme. Victor Hugo changed completely his political views in the course of his life, passing over from pure royalism to radical republicanism. He had a tender admiration for children. He abhorred capital punishment (*la peine de mort*), and labored unceasingly against it.

ATTENTE. — The motto of the poem is Spanish, and means: *I awaited, despairing.*

Line 7: clocher, *belfry, steeple,* the place containing the *cloche(s)* (cf. English *clock* and German *Glocke*). —— donjon (same word as English *dungeon*), the massive tower of a castle, often used as prison.

Line 8: aire, *aerie, nest.*

Page 67. LES DJINNS. — This is a name applied to genii or super-natural beings believed in by the Mohammedans. "They are created out of fire, and are both good and evil." The motto is from the *Inferno* V., 46, and refers to the Second Circle of Hell, where carnal sinners are punished. This poem is much celebrated as a piece of 'lyrical craftmanship.' The arrangement of stanzas is made to indicate the approach and departure of a swarm of Djinns (pron. *djin, n* not nasal).

Page 68, l. 1: brame, *moans.*

Line 6: grelot, is properly a bell formed by a small hollow ball of metal pierced with holes, and enclosing a movable piece of metal which causes the ringing. Cf. *cloche,* l. 15.

Line 24: escalier ; cf. *rampe,* l. 26.

Page 69, l. 8: au flanc, *within it.*

Line 14: Ploie, *bends ;* cf. *plier,* to fold (but also to bend, to bow, vid. l. 12, p. 70). The two words are identical, being different devel-opments from Latin *plicare.*

Line 25: Prophète, *i. e.,* Mahomet, to whom the Djinns were subject.

Page 70, l. 2: leur souffle d'étincelles, *their fiery breath.*

Line 4: vitraux. This word is commonly used of church win-dows, *les vitraux d'une église, vitraux peints,* etc. The sing. *vitrail* is not admitted by the French Academy. The word is a derivative of *vitre* (Latin *vitrum*), pane of glass. Cf. *fenêtre* and *croisée.*

Line 17: Ouïr. This verb is derived from Latin *audire,* to hear. Formerly it was in regular usage. Then it gave way to *entendre,* from Latin *intendere* (lit., to stretch toward).

Line 20: plomb, alluding to the custom of covering roofs with sheet-lead ; Latin *plumbum,* English *plumb.*

Line 25: sur la grève, *on the strand. Grève* is also the name formerly given to a public square in Paris, by the bank of the Seine, where executions took place. Then unemployed laborers were accustomed to assemble on the *Place de Grève* while waiting for work; so the word comes to mean a strike; *faire grève, se mettre en grève,* to strike. *Grève* is from the same root as English *gravel* (Old French *gravele,* probably of Celtic origin). The square in Paris was formerly covered with gravel.

Page 71, l. 11 : vague; cf. *onde,* l. 7. "Les *vagues* sont proprement les *ondes* de la mer qui viennent battre les rochers où elles se brisent en s'élevant à une plus ou moins grande hauteur."

Page 72. EXTASE. — The motto is from Rev. i. 10.

LUI. — This poem is in praise of Napoleon.

Page 73, l. 3. This line probably refers to the siege of Toulon in 1793, where Bonaparte distinguished himself as artillery officer. In the next line the allusion is to the insurrection of the Royalists against the government, in Oct. 1795, which was suppressed by Bonaparte.

Lines 5–6. The allusion is to the *coup d'état* of Nov. 9, 1799, when Bonaparte overthrew the Directory, and then established the Consulate. He became First Consul of a body of three, but practically ruled France.

Line 9 : empereur. He was proclaimed Emperor of the French in May, 1804, under the name of Napoleon I.

Line 11 : étoile, the decoration of the Legion of Honor instituted by Bonaparte; cf. note to l. 5, p. 36.

Line 22 : Des porte-clefs; sing. *porte-clefs,* that is, *celui qui porte les clefs ;* cf. the English compound *turn-key.*

Page 74, l. 5–6. His cloak, worn in many campaigns, was laid over his dead body. —— Napoleon's bed at St. Helena had been the iron camp bedstead used on some of his battle-fields.

Line 7 : le conclave, *i. e.,* of cardinals, legislating as did formerly the Senate. *Conclave* means primarily a room that may be locked up (*con* and *clavis,* key), then the private room in which the cardinals meet to elect the pope, and so the assembly of cardinals.

Line 8. The island of Elba is volcanic in structure. Victor Hugo had seen it when a child, and says of it in the *Odes et ballades :*

> Je visitai cette île, en noirs débris féconde,
> Plus tard, premier degré d'une chute profonde.

The next line refers to Russia and Spain : *Kremlin*, name applied to the imperial palace and other buildings at Moscow ; *Alhambra*, palace of the Moorish kings at Granada.

Line 15 : l'émir, referring to Napoleon.

Page 75, l. 5–6. The address of Bonaparte to his army at the battle of the Pyramids (July, 1798), began : " Soldats, du haut de ces pyramides quarante siècles vous regardent."

Line 7 : **Debout.** This word means lit. *upright, on end.* *Bout* (end), *but* (aim, mark ; cf. English *butt*), and *butte* (knoll, rising ground), are all the same word, the third being the fem. form of the second.

Line 9 : **Satrapes.** Satrap was the title of governor of a province among the ancient Persians.

Line 15 : **Assur,** a town of Nubia, on the Nile.

Line 21 : **sans toucher à,** *without coming upon.* *Toucher à* also means to approach, to meddle with. *Toucher* indicates more definite contact.

Line 24 : **Memnon,** a celebrated Egyptian statue, said to have sung at sunrise. This line is accounted strong language on the part of Hugo.

Page 76, l. 6 : est debout. The French has no single verb corresponding to English *stand*, but must say *être debout, rester debout,* or *se tenir debout.*

Line 8 : **Naple,** for *Naples*, to save a syllable in the line. —— **Portici,** town near Naples on the site of Herculaneum.

Line 10 : **Ischia,** island near Naples, off Cape Miseno.

Line 13 : **Paestum.** Victor Hugo says of this line : " Il eût fallu dire la route de Paestum ; car de Paestum même on ne voit pas Vésuve."

Line 14 : **Pouzzol,** Italian *Pozzuoli*, a town on the bay of Naples, to the north of the city, famous, like others here mentioned, for its ruins. It is the Puteoli of Acts xxviii. 13, where Paul landed.

Line 15 : **tarentelle,** a rapid Italian dance, so named from the tarantula (from the name of the town Taranto), whose bite is supposed to produce a desire to dance. The word here denotes the tune of the dance.

Line 17 : **gisant ;** *s* has the hard sound except in the inf. *gésir*

{Latin *jacēre*, to lie). The verb is defective, being replaced by *être couché*. The pres. *ci-gît* (here lies) is the formula of epitaphs.

Line 19: **Pausilippe,** the grotto of *Posilipo* at the edge of Naples on the way to Pozzuoli, and at the entrance of which is shown the supposed tomb of Vergil. From there the singing of the Italian boatmen may be heard.

Page 77. LORSQUE L'ENFANT PARAÎT. — Victor Hugo is never in a more happy vein than when writing about children.

Page 78, l. 1: **phare,** *light-house,* a word of historical origin, from the island of Pharos near Alexandria, which gave its name to a celebrated light-house built upon it.

Page 79, l. 14: **oripeau,** *tinsel,* from Latin *aurum* (or *auri*), gold, and *pellem,* skin, hide.

Page 80, l. 14: **peines,** *troubles* ; *peine* from Latin *poenam,* cf. English *pain.* The three French words *peine, trouble, douleur,* usually correspond to English *trouble, confusion, pain,* respectively.

Line 18: **pervenche,** the flowering plant *periwinkle.*

Page 81, l. 4: **aie.** The subjunctive is commonly used after superlative or exclusive expressions, such as *le meilleur, le seul, le premier,* etc.

Line 5: **pensée** ; cf. English *pansy.*

Page 82. OCEANO NOX. — These words may be rendered, *Night by the ocean.* —— *Saint-Valery-sur-Somme,* a town on the left bank of the river Somme very near where it empties into the English channel.

Line 7: **morne,** *dull, gloomy;* of German origin ; cf. English *mourn.*

Line 8: **ont disparu.** *Avoir* is used with this verb when it expresses an action, and *être* (cf. p. 83, l. 15) when it expresses a state resulting from an action.

Page 83, l. 1: **sur la grève** ; cf. l. 25, p. 70, and note.

Line 4: **Maint,** *many a* ; probably from the same root as English *many.*

Line 8: **goëmons,** *sea-wrack.*

Line 18: **lasses,** *weary* : *las* from Latin *lassum* ; cf. English *lassitude.* *Fatigué* indicates more exclusively the state resulting from excessive exercise.

Page 84, l. 1: **sombrés** ; *sombrer,* to founder, sink, may be compared with the adj. *sombre,* dark, gloomy.

Line 14: dans l'ombre, a favorite expression of Victor Hugo's, meaning *in the shade, in the dark, in secret*, etc.

Page 85, l. 9: Teignant. *Teindre*, to dye, to color, comes from Latin *tingere ;* cf. English *tinge*. For the introduction of the letter *d* between *n* and *r*, cf. *plaindre* (to pity), from Latin *plangere*.

Line 16: lavoirs, places where washing is done along the brink of a stream. The word is derived from Latin **lavatorium ;* cf. English *lavatory*. Cf. *dortoir*, from Latin *dormitorium*, English *dormitory*.

Page 86. ELLE AVAIT PRIS CE PLI. — *Elle*, daughter of the poet, born 1824, married in the spring of 1843 to Charles Vacquerie. In September of the same year she was drowned, together with her husband, in the Seine near Villequier, by the capsizing of a boat. She is the theme of several poems in *les Contemplations.* ——*pli*, habit, lit. *fold*, English *ply*. —— The *jour des morts* (date of the poem) is the second of November, celebrated in honor of the faithful dead.

Line 13: attendais. Notice the force of this and the following imperfect tenses.

Page 87, l. 7: raisonner, *discoursing upon*.

Line 8: Mes quatre enfants, Léopoldine, Adèle, Charles, and François-Victor.

Line 21: poignées, *handfuls*, formed upon *poing* (fist), Latin *pugnum ; donner une poignée de main à*, to shake hands with.

Page 88, l. 2: labours, means *terres labourées*, equivalent to *sillons* above.

Line 6: la graine, *the seed*. Cf. *le grain*, which denotes also the grain as fruit or product.

Line 10: rumeur, *murmur, confused sound*.

Line 13: Charle, Charles Hugo, who died in March, 1871. He was the elder of the poet's two sons.

Page 89, l 5. His exile lasted in reality nineteen years.

Lines 9–10. The two remaining children were François-Victor (died 1873), known by his scholarly version of Shakespeare, and the younger daughter Adèle. Victor Hugo was peculiarly unfortunate in his family losses.

Page 90, l. 1: tremble, *aspen-tree*, the Latin *populus tremula*, so called because of the trembling of its leaves.

V. Alfred de Musset.

Page 91. Alfred de Musset (1810–1857), of Paris, is ranked as the third great poet of the century in France. He began to write poems at the age of eighteen. His first volume of verse was *Contes d'Espagne et d'Italie* (1830). In later collections are *Namouna* (1832), in imitation of Byron's Don Juan, and *Rolla* (1833), two of the author's longer poems, which, while powerful in some respects, deal with the idle and extravagant side of life, and, like much more that the poet has written, cannot well be utilized in general text-books. Among his best efforts are *les Nuits* (1835–37), a series of meditative poems in the form of dialogues between the poet and his muse on nights in May, August, October, and December. Also of the first rank is the *Lettre à Lamartine* (1836). Musset was elected to the French Academy in 1852, and produced little of value after that date. In his earlier writings he was an adherent of the Romantic movement inaugurated by Victor Hugo. Later he departed from it and satirized it. His imitation of Byron has caused him to be sometimes styled the Byron of France. The qualities of his poetry are grace and passion.

In prose the comedies of Musset and his *Proverbes*, or dramatized proverbs, show a remarkably strong dramatic instinct. The latter, such as *Il ne faut jurer de rien* and *On ne badine pas avec l'amour*, are among the most charming short plays in the literature. His stories are also well known.

Line 4: moutier, an old word for *monastère* (cf. l. 6). They are strictly the same word, both coming from Latin *monasterium*, the first being the earlier popular development, and the second a later learned formation. *Moutier* (better *moûtier*) is now little used. There is a popular tendency in Modern French to employ learned words (words formed directly upon the Latin) as being in better style and more noble, in preference to words indigenous to the language. With the above forms compare German *Münster*.

Line 11: décharnées, *weather-beaten*. *Décharné* means lit., stripped of flesh, from *chair*, flesh (formerly *char* and *charn*, Latin *carnem*). Cf. *acharné*, maddened, intense, and English *carnal*, *carnival*.

Page 92, l. 7: ouailles, *flock, parishioners*. *Ouaille* properly means a sheep, then in Christian symbolism, one of the faithful.

Line 17 : vesprées, *evenings.*

Page 93, l. 2 : veiller, *to sit up.*

Lines 5-6.   Cf. last line of poem.

Line 21 : églantine.   Eglantine was a prize given at the "Jeux Floraux," poetical contests begun by the troubadours and continued to the present day in the south of France.

Page 94, l. 16 : toast, borrowed from the English, and pronounced in the same way.

Line 22 : haillon, *rag, tatter.* —— lambeau, *shred.*

Page 95, l. 3.   His father died in 1832.

Line 4 : chevet, dim. of *chef.*

Line 20 : pour en finir, *to die.*

Line 21.   This is an allusion to his journey in Italy with George Sand.

Line 25 : Pise, *Pisa,* near western coast of Italy.

Page 96, l. 3 : Brigues, a small village in Switzerland.

Line 5 : Gênes, *Genoa.*

Line 6 : Vevay, a hamlet of Switzerland, near Geneva.

Line 8 : Lido, one of a group of islands in the lagoons of Venice.

Line 17 : altéré.   The verb *altérer* has two meanings : (1) to alter (for the worse), perturb, (2) to excite thirst.   It comes from Latin *alterare, derived from *alter,* other ; cf. English *alter.*   Cf. German *ändern,* formed from *ander.*

Page 97, l. 11 : à, *from, considering.*

Line 22 : voie, from Latin *v̆am* (*via* was already in rustic speech *ve̊a*).   Latin short *i* (like long *e*) becomes *oi* in French ; cf. *s̆tim* > *soif, f̆dem* > *foi.*

Page 99.   CHANSON DE BARBERINE. — Barberine is the heroine of one of the author's comedies bearing that title.   In the play she sings the first two of the stanzas here given.

Line 7 : Voyez-vous pas.   In familiar style the *ne* is sometimes omitted, as *c'est pas cher ! c'est pas ça !* etc.

Line 9 : souci, verbal subst. of *soucier* (Latin *sollicitare*).   Cf. *soin,* which is watchful care.

Line 10 : amour, in the sing is fem. in poetry only.

Line 14 : fumée, *glory ;* a participial subst. of *fumer.*

Line 19 : moi qui me laissais dire, *I who allowed myself to be told.*

Page 100. CHANSON DE FORTUNIO. — Fortunio is a character in one of the author's comedies entitled *le Chandelier*. In the course of the play he sings this song.

Line 5 : à la ronde, *in turn.*

Line 19 : ma mie, for *ma amie* (then *m'amie*), representing Latin *meam amicam*. Notice, in the word *ami*(*e*), that Latin long *i* is retained in French ; so *vītam > vie, finem > fin,* etc. *Mie* here is not to be confused with *mie* (a crumb), from Latin *mīcam*.

Page 101, l. 1 : fleurette dim. of *fleur*. *Fleur* is derived from Latin *flōrem*. Latin long *o* usually becomes *eu* in French ; cf. *hōram > heure, sōlum > seul, honōrem > honneur.* Note the meaning of *fleur* in line 13 below.

Line 20 : parfum. The Latin type, *per* and *fumare* (to smoke), is seen more clearly in the English word. Latin *per* becomes *par* in French. —— langage ; cf. *langue*.

Page 102, l. 10 : Phidias, the greatest sculptor of Greece, born at Athens about 500 B. C. —— Praxitèle, *Praxiteles*, a Greek sculptor who flourished about 360 B. C.

Line 13 : Elle, refers to *main* above.

Page 103. IMPROMPTU. — This word is applied to a short piece of poetry composed off-hand.

Line 20 : dégoûté, here = *ennuyé*.

Page 104, l. 2 : se sont passés d'elle. Compare *passer, se passer* and *se passer de*.

Line 14 : causes. Note that *cause* and *chose* (l. 7) are identical in origin. The Latin *causa* meant first a cause, and later a thing.

Line 16 : ancien, *old, former*.

VI. THÉOPHILE GAUTIER.

Page 105. Théophile Gautier (1811–1872) was born at Tarbes (department of Hautes-Pyrénées) and educated mainly at the Collège Charlemagne in Paris, his parents having gone there to live when he was very young. His first ambition was to be a painter. This he soon abandoned and devoted himself to the pen ; but his love of form and color never left him, and influenced strongly his choice of language. His youth was coincident with the Romantic movement. He early became an ardent admirer of Victor Hugo, and remained one of his most faithful followers and imitators. His first collection of poems appeared in 1830, republished with additions two years later. Other collections followed, including a series of lyrics entitled *Émaux et camées*, first published in 1852, and afterwards reissued with new pieces. Gautier's poems as now published comprise three volumes, the *Émaux et camées* forming the last of the series. The pieces of this third volume are remarkable for their perfect form and their artistic coloring. The last five of the eleven poems here given are taken from this collection. In general Gautier's command of form and his picturesque language are his prominent characteristics.

The variety of literary accomplishment in Théophile Gautier must be emphasized. Besides being a poet, he was a writer of travels, a dramatic and art critic, and a novelist. His descriptions of foreign countries in which he travelled can hardly be equaled for the vividness and picturesqueness of the language, and tax to the utmost the capabilities of the French tongue. He was not elected a member of the Academy, a fact which casts reproach upon that body.

PAYSAGE. — The reference to Vergil is *Geor.* I., 371–372.

Line 14: coteaux. *Coteau* means hill-side and hill. With the latter meaning it denotes a smaller eminence than *colline*.

Page 106. VOYAGE. — The line from La Fontaine (1621–1695) is found in one of his comedies entitled *Clymène*. His fame rests principally upon his *Fables*. The reference to Catullus (Latin poet, 87–47 B. C.) is *Carmina* XLVI., 7–8.

Line 9: poudre. *Poudre* (Latin *pulverem*, English *powder*) is synonym of *poussière* only in elevated style, as in the present instance. The latter word is the ordinary one; *e. g., il s'élève dans les chemins beaucoup de poussière*.

Line 13: bruit, *rustles*. *Bruire* is a defective verb, mostly confined at the present day to poetic language, especially for the confused noise produced by the elements of nature, as *le vent bruit, on entend bruire les flots*. *Bruit* (verb) is dissyllabic.

Line 20: dessine. With *dessiner* compare *désigner;* both are derived from the same verb, Latin *designare*.

Page 107, l. 21: enraye, *put on the brake. Enrayer* means, first, to put spokes (*rais* or *rayons*, cf. English *ray* and *radius*) into wheels; then, to hold back the wheels of a wagon by obstructing the spokes with a chain, pole, etc.

Page 108, l. 1: côte; cf. English *coast*, from Latin *costam*, a rib, and then side, slope.

Page 109. LE COIN DU FEU. — The line from Shakespeare which Gautier probably had in mind is *As You Like It*, II., 7 (song) : "Blow, blow, thou winter wind." The line from Villon (poet, b. 1431) means, *Let it blow, freeze, hail, I have my bread baked*, that is, *I have enough to live on*. It is taken from a poem entitled, *Ballade de Villon et de la grosse Margot* in a work called *le Grand Testament*. The other quotations are : Goldsmith, *The Hermit* XIV., and Tibullus (Latin poet, first century B. C.), I., I. 45.

Line 5: aboie, lit. *bark, i. e., roar.*

Line 11: chat. Gautier was very fond of cats, and at one time was surrounded with as many as twelve of the handsomest ones he could purchase. He commences the preface (1832) to his early poems by saying: "L'auteur du présent livre est un jeune homme frileux et maladif qui use sa vie en famille avec deux ou trois amis et à peu près autant de chats." He is said to have seldom written anything without a cat or two in his lap.

Page 110, l. 8: s'en vint, same meaning as *vint.*

COMPENSATION. — The rhyme in this poem (as in some others of Gautier) is the *terza rima* (Italian, third or triple rhyme). It was a system of versification employed by the early Italian poets Dante and Petrarch. The poem or canto was divided into stanzas of three lines, the second line of each rhyming with the first and third lines of the following. A line was then added at the end to rhyme with the second of the previous triplet; so that the order of rhyme was : *aba — bcb — cdc . . . yzy — z.*

Page 111, l. 10: fantaisie. Cf. English *fancy,* which is a corruption of the fuller form *fantasy ;* Old French *fantasie*

Line 21: en croupe, *behind (them).*

Line 24: carrefour, *cross-roads* (where four ways meet), from Latin **quadrifurcum ;* literally, something which has four forks.

Page 112, l. 8: avortements, *defective formations.*

Line 15: Des îles de la Sonde, the Sunda Islands in the Indian Ocean.

Page 113, l. 11: laboureur, *plowman, husbandman* (*labourer*, to plow) ; English *laborer* is in French *ouvrier*.

Page 114, l. 6: Sournoisement, *slyly, in secret*.

Line 7: repasse, *irons* (*i. e., makes*). The verb *repasser* (transitive and intransitive) has other important meanings : (1) to look over, to review (of lessons), as *ils vont repasser les leçons qu'on leur a données ;* (2) to come back, to call again, as *je repasserai chez lui ce soir.* —— collerettes. This word means *small collar* and also (as botanical term) *involucre*, a set of bracts surrounding a flower or umbel, and forming a sort of collar.

Line 11: houppe de cygne, *powder puff*.

Line 17: solfèges, equivalent to *chansons*.

Page 115, l. 11: borne, *curb-stone ;* cf. English *bourn*.

Line 14: se trompant de trou, *striking the wrong hole*. Cf. such expressions as *je me suis trompé de maison*, I made a mistake in the house, and *je me suis trompé de tramway*, I took the wrong street car.

Line 15: vaudeville, a street song with easy or familiar air, and then a theatrical piece whose dialogue is intermingled with light songs. It is a word of historical origin, being a corruption of *Vau-de-Vire*, a region in Normandy where the poet Olivier Basselin, toward the end of the fourteenth century, composed such songs.

Line 21: bruire ; cf. note to line 13, p. 106.

Page 116, l. 3: grimoires, *scrawls, scribbles*.

Line 5: puits de Venise. These *puits* (in Italian *pozzi*) were gloomy dungeons in the prisons of the Palace of the Doges.

Page 117, l. 11: steamer, a late borrowing from the English ; the corresponding French term is *un vapeur* (*la vapeur*, steam) ; *bateau à vapeur*, steam-boat. The recent influence of the English is likewise seen in such words as *clown, fashion, jockey, lunch, meeting, speech, sport*, etc., appropriated by the French.

Page 118, l. 8: souci, *marigold*. *Souci*, in Old French *solcie*, is from Latin *solsequium* (*sol*, sun, and *sequi*, to follow), at first the sunflower and then the marigold ; cf. the English word *heliotrope*. *Souci* here is to be distinguished from *souci*, anxious care (cf. p. 99, l. 9, and note).

Line 9: bulles, *bubbles*. *Bulle* (Latin *bullam*) is at first any rounded object ; then a small ball of metal appended to a seal or stamp, and so a letter of the pope (English *bull*) ; cf. *boule* (ball) and English *bill.*

Line 11 : conciliabules, here *assemblies.*

Line 18 : métopes, spaces between the carved ornaments (called triglyphs) in the frieze of the Doric order of architecture. The me-topes of the Parthenon (temple of Minerva) at Athens were filled with bas-reliefs.

Page 119, l. 2 : Smyrne, *Smyrna,* city of Asia Minor. —— pla-fond, *ceiling,* a word made up of *plat* (cf. German *platt,* flat, level) and *fond* (Latin *fundum*).

Line 3 : Hadjis, a name usually given to Mohammedans who have made the pilgrimage to Mecca. A large quantity of amber is purchased for consumption at the shrine of Mahomet, by pilgrims bound to Mecca.

Line 8 : tarbouchs, a red cap worn by the Turks.

Line 9 : triglyphe. Cf. note on *métopes* above (p. 118, l. 18).

Line 10 : Balbeck, town of Syria, to the north of Damascus, noted for its ruins.

Line 14 : Rhodes, palais des chevaliers, the capital of the Island of Rhodes, in the Mediterranean, founded 408 B. C., cele-brated for the so-called Colossus of Rhodes, a brazen statue of He-lios which stood at the entrance of one of its harbors. The city was in the possession of the Knights of St. John from 1309 to 1522, a period of prosperity.

Line 19 : Malte, *Malta,* an island in the Mediterranean, between Sicily and Africa, belonging to Great Britain. The surface is ele-vated and rocky. Excellent marble is quarried.

Line 22 : Caire, *Cairo,* in Egypt.

Line 25 : A la seconde cataracte, *i. e.,* of the Nile.

Page 120, l. 2 : pschent, a sort of mitre placed on the heads of Egyptian divinities.

Line 16 : Ruckert, Friedrich Rückert (1788–1866), a popular German poet. Gautier doubtless has reference to a well-known poem of Rückert's, beginning : —

> Flügel ! Flügel ! um zu fliegen
> Ueber Berg und Thal.

L'ART. — Gautier here expresses his view of art. He was an advo-
cate of the principle *l'art pour l'art*.

Line 19: œuvre. *Œuvre* (Latin *operam*) is a finished work (a
more abstract term than *ouvrage*). *Travail* (next line) is work, labor;
cf. English *travail* and *travel*.

Page 121, l. 4: cothurne, the *buskin* worn by the ancient tragic
actors.

Line 8: quitte. With *quitter* compare *partir: Il faut que je vous
quitte ; je vais partir par le train de cinq heures.*

Line 13: carrare, a celebrated marble from Carrara in Italy.

Line 14: paros, a marble from the island of Paros in the Aegean
Sea.

Line 19: S'accuse, *is brought out, is revealed*. Cf. *accuser récep-
tion d'une lettre*, to acknowledge the receipt of a letter.

Page 122, l. 1: aquarelle, *water color, aquarelle*. Cf. *tableau à
l'huile*, oil painting ; *eau-forte*, etching

Line 9: nimbe trilobe, alluding to the representation, in old
paintings, of a halo around the head of the Virgin, having three lobes
or rounded projections, which typified the Trinity.

Line 16: cité. *Ville* (Latin *villam*, cf. English *villa*) is the more
general term, meaning simply a considerable assemblage of buildings
and inhabitants. *Cité* (Latin *civitatem*, English *city*) usually adds the
idea of city as a political body or organization.

VII. MISCELLANEOUS POEMS.

Page 124. LA JEUNE CAPTIVE. — André-Marie de Chénier (1762–
1794) was born at Constantinople. His mother was a Greek, but his
family returned to France while he was a child. His poetic tastes
and standards were wholly classical. At the outbreak of the Revolution he sympathized with moderate measures and contributed to
the *Journal de Paris*, the organ of the moderate royalist party. This
attitude caused him at last to be arrested, in March, 1794. He was
confined in the prison of Saint-Lazare, and some months later was
guillotined. During his imprisonment he composed the present poem,
and his *Iambes* (satirical poems against the Jacobins). Many of his
pieces were left in an unfinished or fragmentary condition, and his

works were not published until long after his death (1819). In the
edition of Chénier's poems, as edited by Moland (1878-9, 2 vols.)
appears the following note: "La jeune captive était une demoiselle
Franquetot de Coigny, qui avait épousé le duc de Fleury en 1784, et
qui, incarcérée à Saint-Lazare avec M. de Montrond, devint, après
divorce, Mme. de Montrond. Montrond et la citoyenne Franquetot
(ex-duchesse de Fleury) furent effacés de la liste des prétendus con-
spirateurs moyennant une somme de cent louis en or." The critic
Villemain calls the present poem "un des chefs-d'œuvre de la poésie
moderne."

Line 2: pampre, *vine-branch,* from Latin *pampinum* ; *n* changes
to *r* ; cf. *ordre* (English *order*) from Latin *ordinem.*

Line 10: S'il est, for *s'il y a.*

Line 18: Philomèle, *Philomela,* daughter of Pandion, a mythical
king of Athens. It is related that, having been wronged by Tereus,
king of the Thracians, and being afterwards pursued and overtaken
by him, she appealed to the gods and was changed into a bird.

Page 125, l. 2: ma veille, *my waking hours, moments.*

Line 17: feux, equivalent to *lumière, éclat.*

Line 22: Palès, *Pales,* a Roman divinity of flocks and shepherds.

Page 126. LA FEUILLE. — Antoine-Vincent Arnault (1766-1834)
is known as a dramatic poet and fabulist. He extolled Napoleon and
was exiled in 1816 by the Bourbons (cf. note on poem: *Les Oiseaux,*
p. 33). Just before his departure he composed the present elegy,
which has remained the most famous of his short moral poems. The
oak alluded to (l. 13) is intended to typify the Emperor Napoleon.

Page 127. SOUVENIR DU PAYS DE FRANCE. — François-René de
Chateaubriand (1768-1848) was the leading literary spirit of his time,
which was one of transition from the old or classical models to the
new spirit of the Romantic movement. He reflects this transition,
and did much to open the way for the new order of things. Among
his works, in prose, were *Atala* (1801) and *le Génie du Christianisme*
(1802), the latter being a defence of the Christian religion. He wrote
several poems, of which the present is one that has become very popular. It was first composed as the words to a mountain air, and was
later incorporated into his prose tale *le Dernier des Abencerages*
(1807). It is sometimes given under other titles: *Le Montagnard
émigré, La Patrie, Stances,* etc.

Line 1: **souvenance**, a more poetic and less precise form than *souvenir* (last stanza).

Line 14: **la Dore**, a small stream near the centre of France.

Line 17: **airain**, lit. *brass*, here a synonym for *cloche* (bell).

Page 128. LE CHIEN DU LOUVRE. — Jean-François-Casimir Delavigne (1794-1843) is known as a lyric and dramatic poet. He first distinguished himself by his *Messéniennes* (1818), a series of political poems against the Restoration. Several tragedies and comedies followed. He wrote several *Chants populaires*, of which the present *ballade* is one. *Le Chien du Louvre* refers to the Revolution of 1830, which resulted in the abdication of Charles X. Numerous barricades were erected in the streets of Paris, and the palace of the Louvre, which was defended by the king's troops, was taken by the insurgents.

Line 10: **son ami**, *i. e.*, the dog.

Page 129, l. 1: **qui roule**, *passing by*. Cf. phrases like *je l'entends qui vient*, I hear him coming. Cf. also l. 19, next page.

Line 4: **l'oreille basse**, *with drooping ear*.

Line 7: **fosse**, *grave*; also *pit, large hole*. It is derived from Latin *fossam* (pp. of *fodere*, to dig), and so means properly a hollow that has been dug out. The dim. *fossette* means a dimple. Cf. English *fosse, fossil*.

Line 8: **Blessé de juillet**. The Revolution of 1830 is also known as *la révolution de juillet*, because it occurred in the month of July of that year.

Line 15: **ennui** (from Latin *in odio*), here in its earlier and stronger meaning of *grief*.

Line 16: **attire**, *beckons*.

Line 20: **d'humides étincelles**, *drops of dew*.

Line 22: **se dresse**, *straightens up, stands erect*. Note that the first meaning of this word (English *dress*) is to make straight, from Latin **directiare* (*directus*), to make *direct*.

Line 26: **frissonne**, *quivers, trembles*.

Page 131. LA BARQUE. — Madame Amable Tastu (1798-1885) holds a very prominent place among the modern female poets of France. Her verse is noted for its grace, simplicity, and purity. The lines from Petrarch (1304-1374) mean: *A frail bark, I find my* *telf in the open sea without a rudder.* The sense of the original context is slightly different.

Line 11 : Nacelle. *Barque* and *nacelle* are both used of fishermen's boats. The latter suggests more particularly the idea of frailness.

Page 132. Souvenirs d'un vieux militaire. — Paul-Émile Debraux (1798–1831) is known as a popular song writer. Many of his pieces had a great success, and compare favorably with those of Béranger.

Page 133, l. 1 : les Pyramides, allusion to the campaign of Bonaparte in Egypt (1798).

Line 9 : Ibérie, *Spain.* Napoleon's difficulties with Spain began in 1808.

Lines 11–13. These lines refer to the campaign of Prussia in 1806.

Lines 15–22; allusion to Napoleon's Russian campaign in 1812.

Line 24 : descendit au cercueil, *sank into the grave ;* allusion to the humiliation of France after the fall of Napoleon.

Line 25 : Lutèce, Latin *Lutetia,* a city of Gallia Lugdunensis, now Paris.

Page 134, l. 2 : Bellone, Latin *Bellona,* goddess of war among the Romans, sister or wife of Mars

Line 7 : l'ami. The definite article is sometimes, in intimate and familiar style, placed before a noun used vocatively ; cf. '*Faites comme moi, l'ami, et vous deviendrez riche comme moi.*'

Ma Normandie. — Frédéric Bérat (1800–1855), known as a poet and musician, was born at Rouen (in Normandy). He wrote large numbers of songs and set them to music. His native Normandy was his theme. *Ma Normandie* met with great success and became one of the most popular songs of the time. More than 30,000 copies of it were published.

Page 135. Le Joueur d'orgue. — Charles-Augustin Sainte-Beuve (1804–1869) is celebrated chiefly as a critic. He was a very learned and skilful defender of the Romantic school, and is called the critic of that school. His method was to judge an author in connection with his surroundings. He was also the author of several collections of verse. The present poem is taken from his *Pensées d'août.*

Line 15 : humidement versés, *bathed in dew.*

Line 18: portière, *coach-door.* The word also means '*portière*' and *portress.*

Line 19: rejoints, *caught up with.*

Line 21: fardeau. *Fardeau* was in the earlier language *fardel*, from which came the English word (cf. Shak. Hamlet, III. 1 76). *Faix* (last line of poem) is a synonym of *fardeau.*

Line 22: balle, *pack, bundle.*

Page 136, l. 4: rouler, *roam.*

Line 9: continuais. Compare use of tense with that of *pensai-je* above (l. 3). Cf. also use of tenses in l. 12, 13 below. —— **coin,** *i. e.,* of the diligence.

Line 15: eût. *Si* is sometimes followed by the pluperfect subjunctive, especially in rhetorical style; cf. '*Si j'eusse* (for *j'avais*) *eu de l'argent, je vous aurais payé.*' Or *si* may be omitted with inversion; *e. g.,* '*Fût-il à cent lieues d'ici, j'irais le chercher.*'

Line 22: chétifs, *wretched.* Cf. meanings of English *caitiff,* which is the same word (Latin *captivum*). Cf. also *captif,* English *captive.*

Line 23: sans replis, *without stint.*

Page 137, l. 1: tomber, here as subst., *at the fall of a clear stream.*

LA FERMIÈRE. — Hégésippe Moreau (1810–1838) was a poet of rare ability, but of a brief and unfortunate career. His poverty and misery were reflected in *le Myosotis,* a collection of elegies published in 1838. His poems of country life take a high rank. The present *Romance* was sent as a New Year's remembrance (1836) to Mme. Guérard (of the farm of Saint-Martin, near Provins, southeast of Paris), who two or three years before had kindly entertained him when recovering from an illness. —— *Étrenne* (commonly used in plur.) comes from Latin *strenam,* a sign, omen, and then a New-year's present.

Line 15: bahut, a kind of old-fashioned cupboard or sideboard.

Line 19: en marche, *on again!*

Page 138, l. 19–20: fils blancs de la Vierge Marie, or *fils de la Vierge,* commonly means *air-thread, gossamer,* so called because these webs were regarded as remnants of the neck-cloth of the Virgin Mary, which she had worn in the grave and dropped to the earth as she ascended to heaven.

Page 139. Le Repos du soir. — Pierre Dupont (1821–1870) ranks high among contemporary *chansonniers*. His songs, while they have not the polish of those of Béranger, are simple and natural, and display much feeling.

Page 140, l. 4: **mangeoire,** English *manger*, derivative of *manger*, to eat, from Latin *manducare*.

Line 25: un doigt de vin, *i. e., une très petite quantité de vin; doigt,* from Latin *dĭgĭtum* (English *digit*), cf. note to l. 22, p. 97.

Line 26: figure, *face, countenance.*

THE END.

Heath's Modern Language Series

FRENCH GRAMMARS, READERS, ETC.

Blanchaud's Progressive French Idioms. 60 cts.

Bouvet's Exercises in French Syntax and Composition. 75 cts.

Bowen's First Scientific French Reader. 90 cts.

Bruce's Dictées Françaises. 30 cts.

Bruce's Grammaire Française. $1.15.

Bruce's Lectures Faciles. 60 cts.

Capus's Pour Charmer nos Petits. 50 cts.

Clarke's Subjunctive Mood. An inductive treatise, with exercises. 50 cts.

Comfort's Exercises in French Prose Composition. 30 cts.

Davies's Elementary Scientific French Reader. 40 cts.

Edgren's Compendious French Grammar. $1.15. Part I, 35 cts.

Fontaine's Lectures Courantes. $1.00.

Fontaine's Livre de Lecture et de Conversation. 90 cts.

Fraser and Squair's Abridged French Grammar. $1.00.

Fraser and Squair's Complete French Grammar. $1.15.

Fraser and Squair's Elementary French Grammar. 90 cts.

Fraser and Squair's Shorter French Course. $1.10.

Giese's French Anecdotes. 40 cts.

Grandgent's Essentials of French Grammar. $1.00.

Grandgent's French Composition. 50 cts.

Grandgent's Materials for French Composition. Each, 12 cts.

Grandgent's Short French Grammar. 75 cts.

Heath's French Dictionary. Retail price, $1.50.

Hénin's Méthode. 50 cts.

Hennequin's French Modal Auxiliaries. With exercises. 50 cts.

Hotchkiss's Le Premier Livre de Français. 35 cts.

Kimball's Materials for French Composition. Each, 12 cts.

Mansion's Exercises in French Composition. 60 cts.

Mansion's First Year French. For young beginners. 50 cts.

Marcou's French Review Exercises. 25 cts.

Perfect French Possible (Knowles and Favard). 35 cts.

Prisoners of the Temple (Guerber). For French Composition. 25 cts.

Roux's Lessons in Grammar and Composition, based on *Colomba*. 18 cts.

Snow and Lebon's Easy French. 60 cts.

Storr's Hints on French Syntax. With exercises. 30 cts.

Story of Cupid and Psyche (Guerber). For French Composition. 18 cts.

Super's Preparatory French Reader. 70 cts.

Heath's Modern Language Series

ELEMENTARY FRENCH TEXTS.

Assolant's Aventure du Célèbre Pierrot (Pain). Vocabulary. 25 cts.

Assolant's Récits de la Vieille France. Notes by E. B. Wauton. 25 cts.

Bedollière's La Mère Michel et son Chat (Lyon). Vocabulary. 25 cts.

Berthet's Le Pacte de Famine (Dickinson). 25 cts.

Bruno's Les Enfants Patriotes (Lyon). Vocabulary. 25 cts.

Bruno's Tour de la France par deux Enfants (Fontaine). Vocabulary. **45 cts.**

Daudet's Trois Contes Choisis (Sanderson). Vocabulary. 20 cts.

Desnoyers' Jean-Paul Choppart (Fontaine). Vocabulary. 40 cts.

Enault's Le Chien du Capitaine (Fontaine). Vocabulary. 35 cts.

Erckmann-Chatrian's Le Conscrit de 1813 (Super). Vocabulary. **45 cts.**

Erckmann-Chatrian's L'Histoire d'un Paysan (Lyon). 25 cts.

Erckmann-Chatrian's Le Juif Polonais (Manley). Vocabulary. 30 cts.

Erckmann-Chatrian's Madame Thérèse (Manley). Vocabulary. 40 cts.

France's Abeille (Lebon). 25 cts.

French Fairy Tales (Joynes). Vocabulary and exercises. 35 cts.

Génin's Le Petit Tailleur Bouton (Lyon). Vocabulary. 25 cts.

Gervais's Un Cas de Conscience (Horsley). Vocabulary. 25 cts.

Labiche's La Grammaire (Levi). Vocabulary. 25 cts.

Labiche's La Poudre aux Yeux (Wells). Vocabulary. 30 cts.

Labiche's Le Voyage de M. Perrichon (Wells). Vocabulary. **30 cts.**

Laboulaye's Contes Bleus (Fontaine). Vocabulary. 35 cts.

La Main Malheureuse (Guerber). Vocabulary. 25 cts.

Laurie's Mémoires d'un Collégien (Super). Vocabulary. 50 cts.

Legouvé and Labiche's Cigale chez les Fourmis (Witherby). 20 cts.

Lemaître, Contes (Rensch). Vocabulary. 30 cts.

Mairêt's La Tâche du Petit Pierre (Super). Vocabulary. 35 cts.

Maistre's La Jeune Sibérienne(Fontaine). Vocabulary. 30 cts.

Malot's Sans Famille (Spiers). Vocabulary. 40 cts.

Meilhac and Halévy's L'Été de la St. Martin (François) Vocab. 25 cts.

Moinaux's Les deux Sourds (Spiers). Vocabulary. 25 cts.

Müller's Grandes Découvertes Modernes. 25 cts.

Récits de Guerre et de Révolution (Minssen). Vocabulary. 25 cts.

Récits Historiques (Moffett). Vocabulary. 45 cts.

Saintine's Picciola (Super). Vocabulary. 45 cts.

Ségur's Les Malheurs de Sophie (White). Vocabulary. 45 cts.

Selections for Sight Translation (Bruce). 15 cts.

Verne's L'Expédition de la Jeune Hardie (Lyon). Vocabulary. 25 cts.

Heath's Modern Language Series

INTERMEDIATE FRENCH TEXTS. (Partial List.)

About's Le Roi des Montagnes (Logie). 40 cts. With vocab. 50 cts.

About's La Mère de la Marquise (Brush). Vocabulary. 40 cts.

Balzac: Cinq Scènes de la Comédie Humaine (Wells). 40 cts.

Balzac's Le Curé de Tours (Super). Vocabulary. 30 cts.

Chateaubriand's Atala (Kuhns). Vocabulary. 30 cts.

Contes des Romanciers Naturalistes (Dow and Skinner). Vocab. 55 cts.

Daudet's La Belle-Nivernaise (Boïelle). Vocabulary. 30 cts.

Daudet's Le Petit Chose (Super). Vocabulary. 40 cts.

Daudet's Tartarin de Tarascon (Hawkins). Vocabulary. 45 cts.

De Tocqueville's Voyage en Amérique (Ford). Vocabulary. 40 cts.

Dumas's Duc de Beaufort (Kitchen). Vocabulary. 30 cts.

Dumas's La Question d'Argent (Henning). Vocabulary. 40 cts.

Dumas's La Tulipe Noire (Fontaine). 40 cts. With vocabulary. 50 cts.

Dumas's Les Trois Mousquetaires (Spiers). Vocabulary. 45 cts.

Dumas's Monte-Cristo (Spiers). Vocabulary. 40 cts.

Feuillet's Roman d'un jeune homme pauvre (Bruner). Vocabulary. 55 cts.

Gautier's Voyage en Espagne (Steel). 25 cts.

Gréville's Dosia (Hamilton). Vocabulary. 45 cts.

Hugo's Bug Jargal (Boïelle). 40 cts.

Hugo's La Chute. From Les Misérables (Huss). Vocabulary. 30 cts.

Hugo's Quatre-vingt-treize (Fontaine). Vocabulary. 50 cts.

Labiche's La Cagnotte (Farnsworth). 25 cts.

La Brète's Mon Oncle et mon Curé (Colin). Vocabulary. 45 cts.

Lamartine's Graziella (Warren). 35 cts.

Lamartine's Jeanne d'Arc (Barrère). Vocabulary. 35 cts.

Lamartine's Scènes de la Révolution Française (Super). Vocab. 40 cts.

Lesage's Gil Blas (Sanderson). 40 cts.

Maupassant: Huit Contes Choisis (White). Vocabulary. 30 cts.

Michelet: Extraits de l'histoire de France (Wright). 30 cts.

Musset: Trois Comédies (McKenzie). 30 cts.

Sarcey's Le Siège de Paris (Spiers). Vocabulary. 45 cts.

Taine's L'Ancien Régime (Giese). Vocabulary. 65 cts.

Theuriet's Bigarreau (Fontaine). 25 cts.

Vigny's Cinq-Mars (Sankey). Abridged. 60 cts.

Vigny's Le Cachet Rouge (Fortier). 20 cts.

Vigny's Le Canne de Jonc (Spiers). 40 cts.

Voltaire's Zadig (Babbitt). Vocabulary. 45 cts.

🎔eath's 🎔odern 🎔anguage 🎔eries

INTERMEDIATE FRENCH TEXTS. (Partial List.)

Augier's Le Gendre de M. Poirier (Wells). Vocabulary. 35 cts.

Beaumarchais's Le Barbier de Séville (Spiers). 25 cts.

Erckmann-Chatrian's Waterloo (Super). 35 cts.

Fleurs de France (Fontaine). 35 cts.

French Lyrics (Bowen). 60 cts.

Gautier's Jettatura (Schinz). 30 cts.

Guerber's Marie-Louise. 25 cts.

Halévy's L'Abbé Constantin (Logie). 30 cts. With vocab. 40 cts.

Halévy's Un Mariage d'Amour (Hawkins). 25 cts.

Historiettes Modernes (Fontaine). Vol. I, 35 cts. Vol. II, 35 cts.

Loti's Pêcheur d'Islande (Super). Vocabulary. 40 cts.

Loti's Ramuntcho (Fontaine). 30 cts.

Marivaux's Le Jeu de l'amour et du hasard (Fortier). Vocab. 35 cts.

Merimée's Chronique du Règne de Charles IX (Desages). 25 cts.

Merimée's Colomba (Fontaine). 35 cts. With vocabulary, 45 cts.

Molière en Récits (Chapuzet and Daniels). Vocabulary. 50 cts.

Molière's L'Avare (Levi). 35 cts.

Molière's Le Bourgeois Gentilhomme (Warren). 30 cts.

Molière's Le Médecin Malgré Lui (Hawkins). 25 cts.

Musset's Pierre et Camille (Super). 20 cts.

Pailleron's Le Monde où l'on s'ennuie (Pendleton). 30 cts.

Racine's Andromaque (Wells). 30 cts.

Racine's Athalie (Eggert). 30 cts.

Racine's Esther (Spiers). Vocabulary. 30 cts.

Renan's Souvenirs d'Enfance et de Jeunesse (Babbitt). 75 cts.

Sand's La Mare au Diable (Sumichrast). Vocabulary. 35 cts.

Sand's La Petite Fadette (Super). Vocabulary. 35 cts.

Sandeau's Mlle de la Seiglière (Warren). Vocabulary. 40 cts.

Sardou's Les Pattes de Mouche (Farnsworth). Vocabulary. 40 cts.

Scribe's Bataille de Dames (Wells). Vocabulary. 35 cts.

Scribe's Le Verre d'Eau (Eggert). 30 cts.

Septs Grands Auteurs du XIXe Siècle (Fortier). Lectures. 60 cts.

Souvestre's Un Philosophe sous les Toits (Fraser). 50 cts. Vocab. 55 cts.

Thiers's Expédition de Bonaparte en Egypte (Fabregou). 30 cts.

Verne's Tour du Monde en quatre vingts jours (Edgren). Vocab. 45 cts.

Verne's Vingt mille lieues sous la mer (Fontaine). Vocab. 45 cts.

Zola's La Débâcle (Wells). Abridged. 60 cts.

Heath's Modern Language Series

ADVANCED FRENCH TEXTS.

Balzac's Le Père Goriot (Sanderson). 80 cts.

Boileau: Selections (Kuhns). 50 cts.

Bornier's La Fille de Roland (Nelson). 30 cts.

Bossuet: Selections (Warren). 50 cts.

Corneille's Cinna (Matzke). 30 cts.

Corneille's Horace (Matzke). 30 cts.

Corneille's Le Cid (Warren). 30 cts.

Corneille's Polyeucte (Fortier). 30 cts.

Delpit's L'Âge d'Or de la Littérature Française. 90 cts.

Diderot: Selections (Giese). 50 cts.

Duval's Histoire de la Littérature Française. $1.00.

French Prose of the XVIIth Century (Warren). $1.00.

Hugo's Hernani (Matzke). 60 cts.

Hugo's Les Misérables (Super). Abridged. 80 cts.

Hugo's Les Travailleurs de la Mer (Langley). Abridged. 80 cts.

Hugo's Poems (Schinz). 80 cts.

Hugo's Ruy Blas (Garner). 65 cts.

La Bruyère: Les Caractères (Warren). 50 cts.

Lamartine's Méditations (Curme). 55 cts.

La Triade Française. Poems of Lamartine, Musset, and Hugo. 75 cts.

Lesage's Turcaret (Kerr). 30 cts.

Maîtres de la Critique lit. au XIXe Siècle (Comfort). 50 cts.

Molière's Le Misanthrope (Eggert). 30 cts.

Molière's Les Femmes Savantes (Fortier). 30 cts.

Molière's Les Précieuses Ridicules (Toy). 25 cts.

Molière's Le Tartuffe (Wright). 30 cts.

Pascal: Selections (Warren). 50 cts.

Racine's Les Plaideurs (Wright). 30 cts.

Racine's Phèdre (Babbitt). 30 cts.

Rostand's La Princesse Lointaine (Borgerhoff). 40 cts.

Voltaire's Prose (Cohn and Woodward). $1.00.

Voltaire's Zaïre (Cabeen). 30 cts.

ROMANCE PHILOLOGY.

Introduction to Vulgar Latin (Grandgent). $1.50.

Provençal Phonology and Morphology (Grandgent). $1.50.

Heath's Modern Language Series

GERMAN GRAMMARS AND READERS.

Alternative Exercises. For the *Joynes-Meissner*. 54 pages. 15 cts.

Ball's German Drill Book. Companion to any grammar. 80 cts.

Ball's German Grammar. 90 cts.

Boisen's German Prose Reader. 90 cts.

Deutsches Liederbuch. With music. 166 pages. 75 cts.

Deutsch's Colloquial German Reader. 90 cts.

Foster's Geschichten und Märchen. For young children. 25 cts.

Fraser and Van der Smissen's German Grammar. $1.10.

Gore's German Science Reader. 75 cts.

Guerber's Märchen und Erzählungen, I. 162 pages. 60 cts.

Guerber's Märchen und Erzählungen, II. 202 pages. 65 cts.

Harris's German Composition. 50 cts.

Harris's German Lessons. 60 cts.

Hastings' Studies in German Words. $1.00.

Hatfield's Materials for German Composition. Based on *Immensee* and on *Höher als die Kirche*. Paper. 33 pages. Each, 12 cts.

Heath's German Dictionary. Retail price, $1.50.

Horning's Materials. Based on *Der Schwiegersohn.* 16 pages. 5 cts.

Huss's German Reader. 70 cts.

Joynes-Meissner German Grammar. $1.15.

Joynes's Shorter German Grammar. Part I of the above. 80 cts.

Joynes's Shorter German Reader. 60 cts.

Joynes and Wesselhoeft's German Grammar. $1.15.

Krüger and Smith's Conversation Book. 40 pages. 25 cts.

Meissner's German Conversation. 65 cts.

Mosher and Jenney's Lern- und Lesebuch. $1.25.

Nix's Erstes deutsches Schulbuch. For primary classes. Illus. 202 pp. 35 cts.

Pattou's An American in Germany. A conversation book. 70 cts.

Sheldon's Short German Grammar. 60 cts.

Spanhoofd's Elementarbuch der deutschen Sprache. $1.00.

Spanhoofd's Erstes Deutsches Lesebuch. 70 cts.

Spanhoofd's Lehrbuch der deutschen Sprache. $1.00.

Stüven's Praktische Anfangsgründe. Cloth. 203 pages. 70 cts.

Wallentin's Grundzüge der Naturlehre (Palmer). $1.00.

Wesselhoeft's Elementary German Grammar. 90 cts.

Wesselhoeft's Exercises. Conversation and composition. 50 cts.

Wesselhoeft's German Composition. 45 cts.

10 pages